戏剧集

贝克特作品选集 7

[爱尔兰] 萨缪尔·贝克特 著

戏剧集

赵家鹤　谢　强
袁晓光　曾晓阳　译

湖南文艺出版社·长沙

SAMUEL BECKETT

© by Les Éditions de Minuit
1957 pour *Fin de partie*
1966 pour *Acte sans parole* I
　　　　Acte sans parole II
1978 pour *Fragment de théâtre* I
　　　　Fragment de théâtre II
　　　　Pochade radiophonique
　　　　Esquisse radiophonique
1982 pour *Catastrophe*
1982 pour *Quoi où*

根据午夜出版社法文版翻译并获简体中文版出版授权

目　录

终局 …………………………………（1）
默剧一 ………………………………（77）
默剧二 ………………………………（87）
戏剧片段一 …………………………（93）
戏剧片段二 …………………………（107）
广播剧速写 …………………………（129）
广播剧草稿 …………………………（149）
收场 …………………………………（159）
什么哪里 ……………………………（173）

终　局

赵家鹤　译

献给罗歇·布兰

1957 年 4 月 1 日,《终局》首次以法语演出于伦敦皇家宫廷剧场,角色分配如下:

纳格	乔治·阿代
耐尔	克里斯蒂娜·金格
哈姆	罗歇·布兰
克劳夫	让·马丁

同月,该剧在巴黎香榭丽舍小剧场再次上演,仍是原班演员,唯耐尔一角由杰迈娜·德·法朗士担任。

舞台上无家具。

淡灰色的光线。

左右墙上,景深处,高高地开着两扇小窗,遮着窗帘。

舞台前部的右侧有一扇门。靠近门的墙上挂着一幅颠倒的画。

舞台前部的左侧,一块旧的床单蒙着两个挨在一起的家用垃圾桶。

舞台中央,哈姆裹着一条旧床单坐在一把轮椅上。

克劳夫一动不动地站在轮椅旁,看着哈姆。

他关节僵硬、步履跟跄地走到左侧窗下。他看着左侧那扇窗,头朝后仰着。他转过头,看右侧那扇窗。他走到右侧窗下。他看着右侧那扇窗,头朝后仰着。他转过头去看着左侧那扇窗。他走了出去,旋即拿了一把梯子回来。他把梯子放在左侧窗下,登上梯子,拉开窗帘。他从梯子上下来，朝右侧那扇窗走了六步，又回去拿那把梯子，把它放在右侧窗下，爬了上去，拉开窗帘。他从梯子上下来，朝左侧那扇窗走了三步，又回去拿梯子，把它放在左侧窗下，爬了上去，看着窗外。一笑。他从梯子上下来，朝右侧那扇窗走了一步，又回去拿梯子，把它放在右侧窗下，站了上去，看着窗外。一笑。他从梯子上下来，走向那两个垃圾桶，又回去拿梯子，拿在手里，又改变了主意，放下梯子，走向垃圾桶，揭开蒙在上面的床单，仔细地把它折好，并把它搭在一条胳臂上。他掀起一个垃圾桶盖，弯下腰，朝垃圾桶里看。一笑。他放下垃圾桶盖。对另一个垃圾桶重复同样的动作。哈姆穿着睡袍，戴着一顶毛毡无边圆帽，一块有血迹的大手帕摊开着盖在脸上，脖颈上吊着个哨子，一条花格子旅行毛毯盖在膝上，脚上穿着厚袜，他像是睡着了。克劳夫看着他。一笑。他走向门，停下，回过身，注视着舞台，转身朝着观众。

克劳夫：（目光呆滞，语调平直）终局，这是终局，将要终局，可能将要终局。（略停）谷粒加到谷粒上，一颗接着一颗，有一天，突然地，成了一堆，一小堆，讨厌的一堆。（略停）他没法再惩罚我。（略停）我躲到我的厨房去，长三米、宽三米、高三米，我只需等着他用哨子叫我。这真是漂亮的立方体，我要靠在桌子上，我要看着墙，等着他吹哨叫我。

他一动不动地在那儿站了一会儿，然后走出去。他立刻又折了回来，去拿那把梯子，拿着梯子走出去。略停。哈姆动了。他在手帕下打呵欠。他拿开脸上的手帕。露出墨镜。

哈姆： 该……（呵欠）……该我……（略停）出牌。（他伸直手臂去取摊开在他面前的那块手帕）旧手帕！（他摘下眼镜，揉眼睛，擦眼镜，重又戴上眼镜，仔细地折叠手帕并小心地把它放入睡袍上部的口袋。他清了清嗓子，合拢指尖）谁的不幸会……（呵欠）……会比我……更甚？当然。那是过去。可现在呢？是我的父亲？（略停）是我的母亲？（略停）是我的……狗的？（略停）啊！我愿意他们的痛苦是他们所能承受的。但这是不是说我们的痛苦都差不多呢？那还用说。（略停）不，绝对是……（呵欠）……这样，（自负地）年岁越大就越充实。（略停。沮丧地）就越空虚。（他用鼻吸气）克劳夫！（略停）不，这儿就我一个人。（略停）多奇怪的梦……都是复数！这些树林！算了，该结束了，这也是躲避。（略停）可我又犹豫着，犹豫着……该不该结束。

对,正是这样,虽是该结束了,可我又犹豫着……(呵欠)……该不该结束。(呵欠)哎哟,有什么可留恋的,我最好去睡觉。(他吹了一下哨子。克劳夫马上上场。他在轮椅旁停下)你把空气都熏臭了!(略停)给我铺床,我要睡觉了。

克劳夫:我来扶你起来。

哈姆:然后呢?

克劳夫:我没法一下子又弄你起来又弄你睡觉,我还有事。

略停。

哈姆:你从没见过我的眼睛?

克劳夫:是的。

哈姆:你就从来没有过这种好奇,在我睡着时,取下我的眼镜来看我的眼睛?

克劳夫:把你的眼皮翻起来?(略停)没有过。

哈姆:总有一天我会让你看的。(略停)好像它们全是白的。(略停)几点了?

克劳夫:跟平时一样。

哈姆:你看过了?

克劳夫:是的。

哈姆:怎么说?

克劳夫:零点。

哈姆:本来该下雨的。

克劳夫：不会下的。

略停。

哈姆：除了这，别的怎么样？

克劳夫：我很知足。

哈姆：你觉得自己的状态很正常？

克劳夫：(不快地)我对你说了我很知足。

哈姆：我觉得自己有点古怪。(略停)克劳夫。

克劳夫：嗯。

哈姆：你不感到厌倦吗？

克劳夫：我感到厌倦！(略停)厌倦什么？

哈姆：厌倦……这件……事。

克劳夫：一直都厌倦。(略停)你不厌倦吗？

哈姆：(沮丧地)那就没有理由改变吗？

克劳夫：会结束的。(略停)一辈子都是同样的问题，同样的回答。

哈姆：伺候我睡觉。(克劳夫不动)去拿毯子。(克劳夫不动)克劳夫。

克劳夫：是。

哈姆：我不会再给你吃任何东西了。

克劳夫：那我们都得饿死。

哈姆：我只给你吃让你饿不死的那一点点。你将一天到晚觉得肚子饿。

克劳夫：那我们就饿不死了。(略停)我去拿毛毯。

他向门走去。

哈姆：这不值。(克劳夫停下)我将每天给你一片饼干。(略停)一片半饼干。(略停)为什么你要和我待在一起？

克劳夫：为什么你留着我？

哈姆：因为没别的人可留。

克劳夫：因为没别的地方可待。

　　　　　　　　　　略停。

哈姆：你还是会离开我的。

克劳夫：我正在试。

哈姆：你不爱我了。

克劳夫：是的。

哈姆：以前你是爱我的。

克劳夫：以前！

哈姆：我太折磨你了。(略停)是吗？

克劳夫：不是的。

哈姆：(愤慨地)我没太折磨你？

克劳夫：不。

哈姆：(舒了口气)哦！终于承认了！(略停。冷冷地)对不起。(略停。放大声)我说，对不起。

克劳夫：我听见了。(略停)你受到伤害了？

哈姆：还不至于。(略停)还没到吃镇静剂的时候吗？

克劳夫：是的。

> 略停。

哈姆：你的眼睛还行吗?
克劳夫：不行。
哈姆：你的腿脚还行吗?
克劳夫：不行。
哈姆：但你能活动。
克劳夫：是的。
哈姆：(粗暴地)那你活动呀!(克劳夫一直走到舞台深处的墙边,把额头和双手靠在墙上)你在哪儿?

克劳夫：在这儿。

哈姆：回来!(克劳夫回到轮椅边原先他站的位置上)你在哪儿?

克劳夫：在这儿。

哈姆：你为什么不杀了我?

克劳夫：我没有搞这种阴谋的勇气。

> 略停。

哈姆：你去给我找两个自行车轮子。
克劳夫：不会再有自行车轮子了。
哈姆：你把你的自行车怎么样了?
克劳夫：我从来就没有过自行车。
哈姆：这不可能。

克劳夫：当还有自行车时,我曾经为能有上一辆而哀求过你。我跪倒在你的脚下哀求,你把我撵走了。现在再也没有自行车了。

哈姆：那你怎么去的，当你去看我那些可怜的人时？你一直是走路去的？

克劳夫：有时骑马。(一只垃圾桶的盖子升起，露出了纳格的两只手。接着头也露了出来，头上戴着顶睡帽。肤色极白，纳格打了个呵欠，然后听着)我走了，我还有事。

哈姆：厨房里有事？

克劳夫：是的。

哈姆：离开这儿，那就是死。(略停)好吧，走吧。(克劳夫下场。略停)快到头了。

纳格：我的粥！

哈姆：该死的当爹妈的！

纳格：我的粥！

哈姆：不会再有老人了！吃的，吃的，他们就想着这个！(他吹哨子。克劳夫进来。他在轮椅边停下)哟！我还以为你要离开我了。

克劳夫：啊，还没有，还没有。

纳格：我的粥！

哈姆：把他的粥给他。

克劳夫：没有粥了。

哈姆：(对纳格)没有粥了。你将永远不会再有粥了。

纳格：我要我的粥！

哈姆：给他一块饼干。(克劳夫出去)该

死的淫夫！你那残疾的肢体怎么样了？

纳格： 别管我残疾的肢体。

　　　　克劳夫进来，手里拿着一块饼干。

克劳夫： 我回来了，拿来了饼干。

他把饼干放在纳格手里，他拿着饼干，摸摸，闻闻。

纳格：（叹着气）这是什么呀？

克劳夫： 这是正宗的饼干。

纳格：（还是叹着气）这么硬！我没法吃！

哈姆： 把他关进去！

克劳夫把纳格塞进垃圾桶里，重新盖上盖子。

克劳夫：（回到轮椅旁原先的位置上）但愿老者有识！

哈姆： 你坐到垃圾桶上去。

克劳夫： 我没法坐。

哈姆： 这倒是真的。我却没法站起来。

克劳夫： 是这么回事。

哈姆： 各有所短。（略停）没电话吗？（略停）我们不开开玩笑？

克劳夫：（想了想）我不想再开玩笑了。

哈姆：（想了想）我也一样。（略停）克劳夫。

克劳夫： 嗯。

哈姆： 大自然把我们忘了。

克劳夫：没有大自然了。

哈姆：没有大自然！你说得过分了。

克劳夫：在我们身边是这样。

哈姆：可我们在呼吸，我们在变化！我们在掉头发，掉牙齿！我们的纯真！我们的理想！

克劳夫：这么说，它没忘了我们。

哈姆：可你说再也没有大自然了。

克劳夫：(悲伤地)这世上没人会像我们想得这么古怪。

哈姆：他们不可能想到。

克劳夫：他们错了。

略停。

哈姆：你把自己看成一块碎片，嗯？

克劳夫：许多块碎片。

略停。

哈姆：不会那么快的。(略停)还没到吃镇静剂的时候吗？

克劳夫：是的。(略停)我走了，我有事。

哈姆：在厨房里？

克劳夫：是的。

哈姆：干些什么，我在想。

克劳夫：看墙。

哈姆：墙！你在墙上看到了什么，在你那堵墙上？狂想，狂想？是些裸体吗？

克劳夫：我看见了我的死去了的光泽。

哈姆：你的光泽……！这该是什么意思啊！好吧，反正它将在这儿死去，你的光泽。看看我，给我讲点新闻吧，关于你的光泽。

略停。

克劳夫：你不该对我这么说。

略停。

哈姆：（冷冷地）对不起。（略停。然后大声地）我说了，对不起。

克劳夫：我听见了。

略停。纳格所在的那个垃圾桶的盖子升起。纳格的手露了出来，攀在桶沿上。然后，冒出了他的头。纳格一手拿着饼干倾听着。

哈姆：你的种子长出来了？

克劳夫：没有。

哈姆：你有没有刨开些土看看它们是不是发芽了？

克劳夫：它们没有发芽。

哈姆：可能还太早。

克劳夫：要是它们会发芽，早就发芽了。它们永远都不会发芽的。

略停。

哈姆：现在没下午那么快乐了。（略停）但到了黄昏时总是这样的，你说对吗，克劳夫？

克劳夫：总是这样。

哈姆：这个黄昏跟平时一样，是吗，克劳夫？

克劳夫：好像是。

略停。

哈姆：(不安地)到底发生了什么事，发生了什么事？

克劳夫：该发生的事总会发生。

略停。

哈姆：行，你走吧。(他把头仰在轮椅的靠背上，一动不动。克劳夫没动弹。他深深地叹了一口气。哈姆重新坐直身子)我以为我对你说了要你走。

克劳夫：我试试看。(他走到门口，停下)自我有生以来。

他下场。

哈姆：行了。

他把头仰在轮椅靠背上，一动不动。纳格敲击另一只垃圾桶的盖子。略停。他加大了劲。垃圾桶的盖子升起，露出了耐尔的手，抓在垃圾桶的边沿上，然后冒出了她的头。戴着有花边的软帽。煞白的颜色。

耐尔：干什么，胖小子？(略停)就为了这么件小事？

纳格：你睡着了？

耐尔：没有的事！

纳格：接吻吧。

耐尔：够不着。

纳格：试试看。

两个脑袋艰难地互相朝前伸，没能够着，又分开了。

耐尔：为什么天天开这样的玩笑？

略停。

纳格：我的牙掉了。

耐尔：什么时候？

纳格：昨天还在的。

耐尔：(悲哀地)啊，昨天！

他们艰难地互相转过身来。

纳格：你看见我了吗？

耐尔：不清楚。你呢？

纳格：什么？

耐尔：你看见我了吗？

纳格：不清楚。

耐尔：太好了，太好了。

纳格：别这么说。(略停)我们的视力下降了。

耐尔：是的。

略停。他们互相背过身。

纳格：你听得见我的声音吗？

耐尔：听得见。你呢？

纳格：听得见。(略停)我们的听觉没有衰退。

耐尔：我们的什么？

纳格：我们的听觉。

耐尔：是的。(略停)你有没有别的事对我说说？

纳格：你还记得……

耐尔：不记得。

纳格：双人自行车出了事故，我们把腿留在了那儿。

         他们笑起来。

耐尔：那是在阿登省。

         他们笑得轻了些。

纳格：在色当市的出口处。(他们的笑声更轻了。略停)你冷吗？

耐尔：是的，很冷。你呢？

纳格：我冷到骨髓了。(略停)你想回去吗？

耐尔：是的。

纳格：那你回去吧。(耐尔不动)为什么你不回去？

耐尔：我不知道。

         略停。

纳格：他们把你的木屑换了？

耐尔：那不是木屑。(略停。疲惫地)你就不能说得更确切些吗,纳格?

纳格: 你的沙子,好吧。这有什么要紧?

耐尔: 这要紧。

略停。

纳格: 以前是木屑。

耐尔: 是的。

纳格: 现在是沙子了。(略停)海滩上的。(略停。放大声)现在是他去海滩上找来的沙子。

耐尔: 是的。

纳格: 他替你换了?

耐尔: 没有。

纳格: 我也没换。(略停)得抗议。(略停。拿出饼干)你要一点儿吗?

耐尔: 不要。(略停)一点儿什么?

纳格: 饼干。我给你留了一半。(他看着饼干,骄傲地)是四分之三。给你。拿去。(他把饼干递给她)不要?(略停)你不喜欢?

哈姆: (疲惫地)住嘴,你们住嘴,你们弄得我都没法睡了。(略停)声音放轻些。(略停)如果我睡着了,我或许就在做爱了。我将到树林里去。我将看到……天空,大地。我跑着。后面有人追着。我逃脱了。(略停)大自然!(略停)我的脑袋里有一滴水。(略停)一颗心,一颗心在我的脑袋里。

>略停。

纳格：（低着声）你听到了吗？一颗心在他的脑袋里。

>他小心翼翼地咯咯笑起来。

耐尔：不应该嘲笑这类事，纳格。你为什么总对这些事发笑呢？

纳格：别说得这么响！

耐尔：（并未压低声音）没有任何事比这样的不幸更可笑的了，我同意你这看法，但是……

纳格：（被激怒了）哦！

耐尔：是的，是的，这是世界上最滑稽的事。我们笑了起来，笑了起来，笑得很开心，在刚开始时。可是从头到尾就是这么件事。是的，就像一个对我们讲得太多的好的故事一样，我们始终觉得这故事挺好，但再也不笑了。（略停）你还有别的事对我说吗？

纳格：没有。

耐尔：好好想想吧。（略停）我要失陪了。

纳格：你不要你的饼干了？（略停）我为你留着。（略停）我本以为你要留下我一个人了。

耐尔：我要失陪了。

纳格：你能先给我抓抓痒吗？

耐尔：不。（略停）在哪儿？

纳格：在背上。

耐尔：不。（略停）你可以将背在桶边上磨蹭。

纳格：那不在面上。在窝里。

耐尔：哪个窝？

纳格：那个窝。（略停）你不能吗？（略停）昨天你给我抓过的那个地方。

耐尔：（悲哀地）啊，昨天！

纳格：你不能吗？（略停）你也不要我来给你抓痒？（略停）你还在哭？

耐尔：我尽了力。

略停。

哈姆：（低声）那可能是一条小静脉。

略停。

纳格：他在说什么？

耐尔：那可能是一条小静脉。

纳格：这是什么意思？（略停）这什么意思都没有啊。（略停）我给你讲那个裁缝的故事吧。

耐尔：为什么？

纳格：为了让你露出笑脸。

耐尔：这故事并不可笑。

纳格：这故事一直令人发笑。（略停）第一次讲的时候，我都以为你要笑死了。

耐尔：那是在科莫湖上。（略停）四月的一个下午。(略停)你能相信这吗?

纳格: 相信什么?

耐尔: 我们俩在科莫湖上散步。(略停)一个四月的下午。

纳格: 头天夜里我们订了婚。

耐尔: 订了婚!

纳格: 你笑得我们都翻了船。我们差点就淹死了。

耐尔: 那是因为我觉得太幸福了。

纳格: 不,不,是因为我那个故事,证据是,你现在还感到可笑。每次都是。

耐尔: 水很深,很深。我们看见了湖底。那么白,那么清澈。

纳格: 你听我再讲一遍。(以讲故事的语调)一个英国人……(他扮了个英国人的脸,又恢复他自己的脸)……为过新年急需一条条纹长裤,他去裁缝那儿量了尺寸。(裁缝的声音)"行了,四天后你再来时裤子就做好了。"行。四天过去了。(裁缝的声音)"对不起。请过八天再来,我把后裆给漏了。"好吧,就这样吧,后裆,这可不是个随随便便的地方。过了八天。(裁缝的声音)"真抱歉,请过十天再来,我把裤裆给弄脏了。"行,可以,裤裆,这可是个微妙的地方。十天后。(裁缝的声音)"太遗憾了,过十五天再来吧,我弄坏了裤子前面的开裆。"行,很必要,漂亮的开裆,这很复杂。(略停。以正常的声音)我把这故事讲糟了。(略停。沮丧地)我讲这故事越来越糟了。(略停。以讲故事的语调)长话短说,渐渐地,鲜花盛开的复活节到了,他把纽扣孔弄坏了。(模仿顾客的脸,然后顾客的声音)"该死的,先生,不,真的,这太过分了,够了!用六天时间,你听,六天,上帝创造了世界。先生,你听着先生,那是**世界**呀!而你,你居然用三个月时间都不能给我做好一条裤子!"(裁缝的声音,愤慨地)"可是先生!可是先生!你瞧——(不屑的手势,带着厌恶)——这个世界……(略停)……你再瞧——(充满着爱的手势,带着骄傲)——我的**裤子**!"

略停。他看着纹丝不动、眼神迷惘的耐尔,勉强发出一声笑,声音很响,又止住笑,把头探向耐尔,重又笑起来。

哈姆: 够了!

纳格吓得一跳,止住笑。

耐尔: 我们看见了湖底。

哈姆: (厌烦地)你们有完没完?你们就永远说不完了?(突然恼火了)说个没完没了吧!(纳格躲进了垃圾桶,重新盖上盖子。耐尔没动)可他们能说些什么呢?我们又能说些什么呢?(狂乱地)我得要一个清道夫!(他吹哨子。克劳夫上场)把这些垃圾给我拿走!扔到大海里去!

      克劳夫向垃圾桶走去,停下。

耐尔: 那么白。

哈姆: 什么?她在说些什么?

    克劳夫向耐尔欠下身,给她测脉搏。

耐尔:(轻声地,对克劳夫)空荡荡的。

  克劳夫松开她的手腕,把她塞回垃圾桶,重新放下盖子,直起身来。

克劳夫:(回到轮椅旁他的位置上)她没有脉搏了。

哈姆: 啊,在这一点上这种药粉倒是挺了不起的。她在胡言乱语些什么呀?

克劳夫: 她要我离开,到沙漠去。

哈姆: 我何必管闲事?就说了这么些?

克劳夫: 不。

哈姆: 还说了些什么?

克劳夫: 我没听懂。

哈姆: 你把她关起来了?

克劳夫: 是的。

哈姆: 两个人都关起来了?

克劳夫: 是的。

哈姆: 我们要堵死这些盖子。(克劳夫向门走去)这不急。(克劳夫停下)我的火消了,我要小便了。

克劳夫：我去找尿盆。

> 他向门走去。

哈姆：这不急。(克劳夫停下)把镇静剂给我吧。

克劳夫：时间还早。(略停)你喝了强壮剂后还没过多少时间，镇静剂不会起作用的。

哈姆：早上使你们兴奋，晚上使你们麻木。如果没弄颠倒的话。(略停)他是自然去世的吗，那个老医生？

克劳夫：他并不老。

哈姆：但他死了吗？

克劳夫：自然去世的。(略停)你是不是问我这个？

> 略停。

哈姆：推我转一小圈。(克劳夫站到轮椅后将轮椅朝前推)别太快！(克劳夫将轮椅推向前)推着我周游世界！(克劳夫将轮椅朝前推)挨着墙走。然后把我推到中间去。(克劳夫朝前推着轮椅)我现在在正中央，是吗？

克劳夫：是的。

哈姆：我们得要一辆真正的轮椅。带着大轮子。自行车的轮子。(略停)你是不是在挨着墙走？

克劳夫：是的。

哈姆：（摸索着墙）这不是真的！你为什么骗我？

克劳夫：（更逼近墙）这儿，这儿。

哈姆：停下！（克劳夫紧靠着景深处那堵墙停下了轮椅）老墙！（略停）墙那边是……另一个地狱。（略停。猛然）再靠近些！再靠近些！贴在上面！

克劳夫：把你的手拿开。（哈姆收回手。克劳夫把轮椅贴在墙上）行了。

　　　　　　哈姆俯身向墙，把耳朵贴在墙上。

哈姆：你听见了吗？（他用拳起的手指敲击墙。略停）一些空心的砖。（他又敲击）全是空心的！（略停。他直起身。暴躁地）行了！回去。

克劳夫：我们还没转圈。

哈姆：把我推回原来的地方去。（克劳夫把轮椅推回原位，停下）这就是我刚才的位置？

克劳夫：是的，你的位置就在这儿。

哈姆：我是在正中央吗？

克劳夫：我来量量看。

哈姆：差不多！差不多！

克劳夫：（不声不响地移动轮椅）在这儿。

哈姆：我差不多在中央了？

克劳夫：我觉得是。

哈姆：你觉得是！把我推到正中央去！

克劳夫：我去找测链。

哈姆：估计一下！估计一下！（克劳夫缓缓地移动轮椅）在正中央了！

克劳夫：就在这儿。

略停。

哈姆：我觉得稍微朝左偏了点。（克劳夫缓缓移动轮椅。略停）现在我觉得稍微朝右偏了点。（同样的动作）我觉得稍微朝前了些。（同样的动作）现在我觉得稍微靠后了些。（同样的动作）你别待在那儿（对轮椅后），你使我害怕。

克劳夫回到轮椅旁他的位置上。

克劳夫：要是我能杀了他，我会高兴死的。

略停。

哈姆：天气怎么样？

克劳夫：跟平时一样。

哈姆：看看地面。

克劳夫：我看过了。

哈姆：用望远镜看的?

克劳夫：不需要望远镜。

哈姆：要用望远镜看。

克劳夫：我去找望远镜。

克劳夫下场。

哈姆:不需要望远镜!

　　克劳夫上场,手里拿着望远镜。

克劳夫:我回来了,拿来了望远镜。(他走到右侧窗前,看着窗)我得把梯子拿来。

哈姆:为什么?你变矮啦?(克劳夫下场,手里拿着望远镜)我不喜欢这样,我不喜欢这样。

　　克劳夫拿着梯子上场,但没拿望远镜。

克劳夫:我把梯子拿来了。(他把梯子放在右侧窗下,站到梯子上,发现没拿望远镜,又从梯子上下来)我得拿望远镜。

　　　　　　　　　　他向门走去。

哈姆:(粗暴地)你拿着望远镜!

克劳夫:(停下,粗暴地)没拿,我没拿着望远镜!

　　　　　　　　　　他下场。

哈姆:真扫兴。

　　克劳夫上场,手里拿着望远镜,走向梯子。

克劳夫:好了。(他站到梯子上,把望远镜对着外面。望远镜从他手上滑脱,掉了下来。略停)我是故意的。(他从梯子上下来,捡起望远镜,检查了一下,将它对着室内)我看见了……一群妄想狂。(略停)哼,望远镜就是望远镜。(他压低望远镜,对着哈姆)怎么?你不笑啦?

哈姆:(想了想)不。

克劳夫:(想了想)我也不。(他站到梯子上,把望远镜瞄准外面)让我们看看……(他移动着望远镜观察)什么也没有……(他观察着)……什么也没有……(他观察着)……还是什么也没有。(他放下望远镜,转身对着哈姆)怎么样?放心了?

哈姆:没任何东西在动。一切都……

克劳夫:没……

哈姆:(粗暴地)我不跟你说!(正常的声音)一切……一切……一切什么?(粗暴地)一切什么?

克劳夫:一起都什么?你说简单点。你想知道的是什么?等一下。(他把望远镜瞄准窗外,观察着,放下望远镜,转身对着哈姆)一片荒芜。(略停)怎么样?满意了吧?

哈姆:看海上。

克劳夫:一个样的。

哈姆:看大洋!

克劳夫从梯子上下来。朝左面的窗走了几步,又回转去拿起梯子,把它放在左面窗下,站到梯子上,把望远镜对着窗外,看了好久。他惊跳起来,放下望远镜,检查望远镜,又把它重新瞄准。

克劳夫：从没见过这样的东西！

哈姆：（不安地）是什么啊？一张帆？一块浮板？一道烟？

克劳夫：（一直在望远镜里看着）信号灯在船上。

哈姆：（舒了口气）呸！信号灯早就在船上了。

克劳夫：（同上）可它只剩下一截了。

哈姆：下面的那截。

克劳夫：（同上）是的。

哈姆：现在呢？

克劳夫：（同上）什么也没有了。

哈姆：没有橡皮救生艇了？

克劳夫：（同上）橡皮救生艇！

哈姆：那地平线上呢？地平线上什么也没有了吗？

克劳夫：（放下望远镜，转向哈姆，恼火地）你希望地平线上有什么呢？

略停。

哈姆：波浪，那些波浪怎么样了？

克劳夫：波浪？（他瞄准望远镜）灰蒙蒙的。

哈姆：太阳呢？

克劳夫：（一直用望远镜看着）没有。

哈姆：太阳大概正在下山。你好好找找。

克劳夫:(找了一会儿)我向你保证没见到。

哈姆:天已经黑了?

克劳夫:没有。

哈姆:那是因为什么?

克劳夫:(始终用望远镜看着)是阴天。(放下望远镜,转向哈姆,加大声)阴天!(略停。以更大的声音)阴天!

他从板凳上下来,从后面走近哈姆,在他耳畔说话。

哈姆:(惊跳起来)阴天!你刚才是说阴天?

克劳夫:淡淡的黑色。到处都是。

哈姆:你说得过分了。(略停)别站在那儿,你使我害怕。

　　　　克劳夫回到轮椅边他的位置上。

克劳夫:为什么这样演戏,天天如此?

哈姆:习惯了。永远也弄不清楚。(略停)昨天夜里我看见了我的胸腔。一个好宽的伤口。

克劳夫:你看见你的心了?

哈姆:没有。我说的是真的。(略停,不安地)克劳夫!

克劳夫:嗯。

哈姆:发生什么事了?

克劳夫：该发生的事总会发生。

略停。

哈姆：克劳夫！

克劳夫：（不快地）怎么啦？

哈姆：我们没在……没在……暗示什么事？

克劳夫：暗示？我们，暗示！（一笑）真滑稽！

哈姆：我在心里想。（略停）一个神灵，回到世上，因为看见了我们，就不会有什么想法吗？（模仿那个神灵的声音）啊，行，我明白这是怎么回事了，不错，我明白了他们在干什么！（克劳夫惊跳起来，松开了望远镜，开始用双手抓挠下腹。哈姆的声音恢复正常）甚至还不要到那一步，我们自己（满怀感情）……我们自己……有时候……（激烈地）难以想象这一切会是毫无缘由的！

克劳夫：（不安地，搔着痒）我身上有个跳蚤！

哈姆：一个跳蚤！还会有跳蚤？

克劳夫：（搔着痒）要不就是个阴蚤。

哈姆：（极度不安）但从此开始人性就可能恢复了！抓住它，看在老天的分儿上！

克劳夫：我去找这个跳蚤。（克劳夫下场）

哈姆: 一个跳蚤! 太可怕了。今天是个什么日子啊!

克劳夫进来, 手里拿着一个纸盒灌注器。

克劳夫: 我回来了, 拿来了杀虫剂。

哈姆: 开亮了灯再喷!

克劳夫把衬衫从长裤里拉出来, 解开裤子最上面的扣子, 把裤子拉离他的肚子, 将药水朝那间隙中喷。他弯着腰, 瞧着, 等待着, 哆嗦着, 又发疯般地喷药水, 弯腰, 看着, 等着。

克劳夫: 妈的!

哈姆: 你看见了?

克劳夫: 好像。(他放下纸盒, 整理衣服)除非它在交媾。

哈姆: 交媾! 你是说不出声吧。除非它默不作声。

克劳夫: 啊! 我说了不出声吗? 我没说交媾吗?

哈姆: 等着瞧吧! 如果它真是在交媾, 我们就被爱抚了。

略停。

克劳夫: 那这尿?

哈姆: 尿好了。

克劳夫: 那好, 那好。

略停。

哈姆: (激动地)我们俩一起去, 去南方!

到海上！你给我们做一个木筏。让水流载着我们，远远地，驶向别的……哺乳动物那儿！

克劳夫： 别说不吉利的话。

哈姆： 一个人，我一个人去！你马上给我准备这个木筏。明天我就在远方了。

克劳夫：（急急向门走去）我马上去做。

哈姆： 等一等！（克劳夫停下）你认为会有鲨鱼吗？

克劳夫： 鲨鱼？我不知道。如果有，那就会有。

他向门走去。

哈姆： 等一等！（克劳夫停下）还没到喝镇静剂的时候吗？

克劳夫：（粗暴地）没到！

他向门走去。

哈姆： 等一等！（克劳夫停下）你的眼睛怎么样？

克劳夫： 不好。

哈姆： 但你看得见。

克劳夫： 绰绰有余。

哈姆： 你的腿怎么样？

克劳夫： 不好。

哈姆： 但你能行走。

克劳夫： 我能来来去去。

哈姆：在我这所房子里。(略停。带有预言地，满足地)有那么一天，你将变成瞎子。像我一样。你将坐在某个地方，孤零零的，感到空虚，永远地，陷于黑暗之中。就像我一样。(略停)有那么一天你会对自己说，我累了，我要坐下，你就去坐下了。接着你会对自己说，我饿了，我要起来给自己做饭。但你起不来了。你将在心里想，我不该坐下的，但既然我已坐下了，我就再多坐一会儿，然后我再起来给自己做饭。但你起不来了，你没法给自己做饭了。(略停)你将看一会儿墙，然后你对自己说，我要闭上眼睛，或许，睡了觉会好过些，于是你闭上了眼睛。当你重新睁开眼睛时，墙没有了。(略停)无边无际的空虚环绕着你，你想起来的各个时期的所有死者都填补不了那种空虚，你在那空虚中就像是荒漠中的一粒小小的沙子。(略停)是的，有那么一天你将明白这意味着什么，你将像我一样，除了你，什么人也没有，因为你将不会同情任何人，也不会有任何人来同情你。

略停。

克劳夫：不能这样认为。(略停)而且你还忘了一件事。

哈姆：啊？

克劳夫：我没法坐。

哈姆：（不耐烦地）好吧，那你就睡下，你说到了一个麻烦。或者你就这样停下，很简单，你就这样站着，像现在这样。终有一天你会对自己说，我累了，我要停下来。管他什么姿势！

略停。

克劳夫： 你们想让我离开你们所有的人？
哈姆： 当然。
克劳夫： 那我将离开你们。
哈姆： 你不能离开我们。
克劳夫： 那我就不离开你们。

略停。

哈姆： 你只需干掉我们。（略停）我把餐柜的密码告诉你，如果你发誓把我干掉。
克劳夫： 我不能把你干掉。
哈姆： 那你将不会把我干掉。

略停。

克劳夫： 我得走了，我有事。
哈姆： 你还记得你是怎么来这儿的吗？
克劳夫： 记不得了。太小了。你对我说过。
哈姆： 你记得你的父亲吗？
克劳夫：（疲惫地）又来了。（略停）你这些问题都问过成千上万次了。
哈姆： 我喜欢这些老问题。（激动地）啊，老问题,老回答,只能这样!(略停)是我当了你的父亲。

克劳夫:是的。(他目不转睛地看着他)是你为我尽了父亲的责任。

哈姆:我的房子成了你的家。

克劳夫:是的。(慢慢地看着四周)成了我的家。

哈姆:(骄傲地)没有我(指自己),就没有父亲。没有哈姆(指四周),就没有家。

略停。

克劳夫:我走了。

哈姆:你从没想过一件事吗?

克劳夫:从没。

哈姆:在这儿,我们是在一个洞里。(略停)但是在山的后面呢?嗯?那时是不是还是绿茵茵的?嗯?(略停)福劳尔!宝摩纳!(略停。神情恍惚)塞雷斯!(略停)可能你不需要到远处去。

克劳夫:我不能到远处去。(略停)我走了。

哈姆:我的狗做好了吗?

克劳夫:缺一条腿。

哈姆:它像丝一般光滑吗?

克劳夫:它是狐犬一类。

哈姆:去把它拿来。

克劳夫：它缺一条腿。

哈姆：去把它拿来！（克劳夫下场）有进展了。

他取出手帕，擦脸，未再折叠，把它放回口袋里。克劳夫进来，抓着那只黑色长绒狗三条腿中的一条。

克劳夫：你的狗来了。

他把狗给哈姆，他让那狗坐在他的膝上，触摸着它，爱抚着它。

哈姆：它是白色的，是吧？

克劳夫：差不多。

哈姆：怎么差不多？它是白的还是不是白的？

克劳夫：它不是白色的。

略停。

哈姆：你忘了性别了。

克劳夫：（恼火地）可它还没做好，性别得最后再定。

略停。

哈姆：你没给它戴上蝴蝶结。

克劳夫：（发火了）可它还没做好，我对你说了！先得把狗做好，然后再给它系蝴蝶结！

略停。

哈姆：它能站吗？

克劳夫：我不知道。

哈姆：试试看。(他把狗还给克劳夫，他把它放在地上)怎么样？

克劳夫：等一下。

他蹲下身，试着让那狗站起来，不行，他松开了它。那狗往一侧倒了下来。

哈姆：怎么样？

克劳夫：它正站着。

哈姆：(摸索着)哪儿？它在哪儿？

　　　　克劳夫重新让狗站起来，扶着它。

克劳夫：在这儿。

他抓住哈姆的手，拉到狗的头上。

哈姆：(手放在狗的头上)它在看着我吗？

克劳夫：是的。

哈姆：(自豪地)好像它要我出去散步。

克劳夫：随你怎么想。

哈姆：(自豪地)也可能它要我给它一根骨头。(他抽回手)就让它这样待着，让它这样求着我。

　　克劳夫站起身。那条狗重又往侧面倒下。

克劳夫：我走了。

哈姆：你有过幻觉吗？

克劳夫：不常有。

哈姆：佩格大妈的身上有没有发光？

克劳夫：发光！你怎么想到要一个人的身

上发光?

哈姆:那就是说熄灭了。

克劳夫:当然熄灭了!如果不再有光,肯定就是熄灭了。

哈姆:不,我是说佩格大妈。

克劳夫:当然她已熄灭了!你今天怎么搞的?

哈姆:我还跟往常一样。(略停)把她埋了吗?

克劳夫:埋!你要谁去埋她?

哈姆:你。

克劳夫:我!我没事做要去埋人吗?

哈姆:但你要埋我。

克劳夫:不,我不会埋你的!

略停。

哈姆:她很漂亮,以前,非常漂亮。而且很容易亲近。

克劳夫:我们也漂亮——以前。很少有人不漂亮——以前。

略停。

哈姆:给我去把挠钩拿来。

克劳夫走到门口,停下。

克劳夫:干这干那,我就这么干着。从没拒绝。为什么?

哈姆:你没法。

克劳夫：很快我就不会再干了。

哈姆：你不可能。(克劳夫下场)啊，这些人，这些人，什么都得给他们解释。

克劳夫上场，手里拿着挠钩。

克劳夫：这就是你的挠钩。你来咬住呀。

他把挠钩给哈姆。哈姆以挠钩为支撑，向左，向右，向前，尽力想移动轮椅。

哈姆：我前进了没有？

克劳夫：没有。

哈姆扔了挠钩。

哈姆：把我的机油瓶拿来。

克劳夫：干什么用？

哈姆：给轮子上油。

克劳夫：我昨天已经上过油了。

哈姆：昨天！这是什么意思？昨天！

克劳夫：(粗暴地)这就是说有点儿可怜。我用的是你以前教我的话。如果这些话不再能表达什么，你就教我别的。或者就别让我开口。

略停。

哈姆：我认识一个疯子，他以为世界末日已经到了。他画着画。我很喜欢他。我去看他，在收容所。我抓住他的手把他拉到窗口。看啊！那儿！这些小麦全在长着！还有那儿！你看！那些捕沙丁鱼的渔船上的帆！这一切多美啊!(略停)他从我手里抽回他的手回到他那个角落里去了。可怕。他看到的只是灰烬。(略停)只有他是被排除在外的。(略停)被遗忘的。(略停)好像这种情况并不是……并不是那么……那么少。

克劳夫:一个疯子?什么时候?

哈姆:哦,很久很久了。你还没来到这个世上。

克劳夫:多美的年代!

　　　　　略停。哈姆脱下他的无边圆帽。

哈姆:我很爱他。(略停。他重新戴上帽子。略停)他画画。

克劳夫:有这么多可怕的事。

哈姆:不不,不会再有那么多了。(略停)克劳夫。

克劳夫:嗯。

哈姆:你不认为这拖得够久了?

克劳夫:不!(略停)什么事?

哈姆:这……这……这事。

克劳夫:我以前一直这么认为。(略停)你不认为吗?

哈姆:(沮丧地)这么说今天还是和平时一样。

克劳夫:只要这么过着。(略停)整个一生都是同样无聊。

略停。

哈姆：（沮丧地）我是没法离开你的。

克劳夫：我知道。你也没法跟着我。

略停。

哈姆：要是你离开了我，我将怎么知道呢？

克劳夫：（生气勃勃地）你可以吹哨子呀，如果我没来，那就是我离开你了。

略停。

哈姆：你不来向我道别吗？

克劳夫：啊，我不这么认为。

略停。

哈姆：但你也有可能只是死在了厨房里。

克劳夫：这是一回事。

哈姆：是的，但我怎么知道你只是死在你的厨房里呢？

克劳夫：这个嘛……我最终一定会发出臭气。

哈姆：你已经发出臭气了。整个房子都在散发着死人的臭气。

克劳夫：整个宇宙。

哈姆：（恼火地）我才不管宇宙不宇宙呢！（略停）得想个办法。

克劳夫：怎么？

哈姆：诀窍，找个诀窍。（略停。恼火地)一种安排!

克劳夫:明白了。(他开始来回行走,眼睛盯着地上,背着手。他停住了)我腿痛,简直不可思议。我很快就不能思想了。

哈姆:你不能离开我。(克劳夫又走起来)你在干吗?

克劳夫:我在安排。(他行走着)啊!

他停下。

哈姆:了不起的思想家!(略停)想得怎样了?

克劳夫:等一下。(他全神贯注。不太自信)是的……(略停。增了些信心)是的。(他抬起头)就这样。我拨好闹钟。

略停。

哈姆:我今天的状态可能不是最好,可是……

克劳夫:你吹哨子叫我,我没来;闹钟响了,我已经走远了,闹钟不响,我已经死了。

略停。

哈姆:它在走吗?(略停。焦急地)那个闹钟,它在走吗?

克劳夫:为什么它不在走?

哈姆:走得太久了。

克劳夫:但是它几乎没有走。

哈姆:(恼火地)那就是说走得太少了!

克劳夫：我去瞧瞧。(他下场。伤心地。闹钟在后台发出短暂的响声。克劳夫上场,手里拿着闹钟。他把它凑近哈姆的耳朵,打开铃。他们一直听到铃声响完。略停)不愧是最后的审判!你都听见了?

哈姆：模模糊糊。

克劳夫：这是闻所未闻的结局。

哈姆：我更喜欢中间部分。(略停)还没到我服镇静剂的时候吗?

克劳夫：是的。(他向门走去,转过身)我走了。

哈姆：该说说我的故事了。你想听听我的故事吗?

克劳夫：不想。

哈姆：去问问我父亲愿不愿意听听我的故事。

克劳夫走到垃圾桶边,打开纳格所在的那个垃圾桶盖,俯下身。略停。他直起身。

克劳夫：他在睡觉。

哈姆：叫醒他。

克劳夫俯下身,用闹钟的铃声叫醒纳格。含糊不清的话。克劳夫直起身。

克劳夫：他不愿意听你的故事。

哈姆：我给他一块糖。

克劳夫俯下身。含糊不清的话。克劳夫直

起身。

克劳夫：他要一块果仁糖。

哈姆：他会得到果仁糖的。

克劳夫俯下身。含糊不清的话。克劳夫直起身。

克劳夫：他来了。(克劳夫向门走去。纳格的手露了出来,攀在垃圾桶的沿上,然后伸出了头。克劳夫打开门,回转身)你相信将来的生活吗?

哈姆：我的生活一直是那样。(克劳夫下场,猛地把门关上)砰!受到侮辱。

纳格：我在听。

哈姆：坏蛋!你为什么把我生出来?

纳格：我那时不可能知道。

哈姆：什么?不可能知道什么?

纳格：不可能知道那会是你。(略停)你会给我一块果仁糖吗?

哈姆：在你听完话之后。

纳格：发誓?

哈姆：发誓。

纳格：以什么?

哈姆：以荣誉。

略停。他们笑了。

纳格：两块?

哈姆：一块。

纳格：一块给我另一块……

哈姆：就一块！你安静些！（略停）我是从什么地方来的？（略停。沮丧地）破了，我们都破碎了。（略停）会破碎的。（略停）不会再有声音了。（略停）一滴水在脑袋里，自从有了头顶骨上那条未合拢的缝。（纳格突然笑得气都透不过来）它总是蜷缩在同一个部位。（略停）可能是条小静脉。（略停）一条小动脉。（略停。稍显激动）说吧，是时候了，我是从什么地方来的？（略停。叙述者的口吻）那人慢慢地靠近了，肚子贴着地面爬行着。他的脸色极其苍白，身体极其消瘦，他似乎正要……（略停。正常声音）不，这我已说过了。（略停。叙述者的口吻）接着是久久的沉默。（正常声音）这不错。（叙述者的口吻）我不慌不忙地装着烟斗……海泡石的，点燃了它用一根……就算是瑞典的火柴，吸了几口。啊！（略停）说吧，我听着你们。那天的天气，我记得，非常非常冷，气温表上是零度。但因为那天是圣诞夜，这没有什么……异常。这个季节的正常气候，就像你们常常遇到的那样。（略停）说吧，是哪股脏风把你们吹来了？他把他那脏得发黑、和着眼泪的脸抬向我。（略停。正常声音）行了。（叙述者的口吻）不，不，别看着我，别看着我！他垂下眼睛，嘟嘟哝哝的，肯定是请求原谅。(略停)我非常忙，你们知道，忙着过节。(略停。用力地)可这么闯来的目的是什么？(略停)那天的天气，我记得，阳光明媚，量日仪上到了五十，但他已经跳入，跳入了……那些死人中。(正常声音)这很好。(叙述者的口吻)来啊，来啊，把你们的请愿书拿出来吧，我需要许许多多呵护。(正常声音)这是法语啊！得了。(叙述者的口吻)就在那时他做出了决定。这是我的孩子，他说。哎哎哎，一个孩子，他在生气呢。我的小家伙，他说，就好像性别挺重要似的。他是从哪儿出来的？他把我叫作"洞"。整整半天啊，骑着马。别对我说那儿还有人。一回事！不，不，没人，除了他，还有那个孩子……假设这孩子存在着。好吧。我在打听高弗的形势，海峡的另一边。连猫都没有。好吧。而你们要我相信你们把你们的孩子留在了那儿，一个人，而且还活着？得了！(略停)那天的天气，我记得，刺骨的风，风速表达到了一百。风把枯死的松树连根拔起，吹到了……远处。(正常声音)风稍微平和了些。(叙述者的口吻)说吧，说吧，你们究竟要我怎么样，我得点燃我的冷杉了。(略停)简而言之我终于明白了为了他的孩子他向我要面包。面包！一个乞丐，像以往那样。面包？可我没有面包，我不能接受。好吧。那小麦呢？（略停。正常声音）行。（叙述者的口吻）小麦，我有，真的，在我的谷仓里。但是想想吧，想想吧。我给你小麦，一公斤，一公斤半，你们把它带回去给你们的孩子，给他做——如果他还活着的话——一大锅糊（纳格又动起来），一锅半糊，富有营养。行。他的气色好起来了……可能。然后呢？（略停）我那时很恼火。可是想想吧，想想吧，你们是活在尘世，这是无法补救的！（略停）那天的天气，我记得，非常干燥，湿度计上是零。那个梦，关于我的风湿病。（略停。愤怒地）可说到底你们究竟在希望什么呢？大地回春？大海和江河中又游动着很多鱼？老天依然为你们这样的蠢货赐予食物？（略停）我一点点平静了下来，终于能问他为了来这儿花了多少时间。三个整天。他是在什么样的情况下丢下了那个孩子。在酣睡中。（用力地）可这是什么样的酣睡，这已经是什么样的酣睡啊？（略停）总之，我建议他来给我干活。他扰乱了我。于是我已经在设想不再多留他了。（笑。略停）怎么样？（略停）怎么样？（略停）在这儿只要用心你们可以享尽天年，不会有问题。（略停）怎么样？（略停）他最后问我是不是同意也接纳那个孩子——如果有这么一个孩子。（略停）我等的就是这一刻。(略停)如果我同意接纳那个孩子。(略停)我又看见他,跪着,手撑在地上,用他那痴呆的眼光盯着我,尽管我刚就这个问题对他说了我的态度。(略停。正常声音)今天就说这些吧。(略停)关于这故事我可没更多的要说了。(略停)除非引入别的人物。(略停)可上哪儿能找到他们?(略停)上哪儿去找他们?(略停。吹哨子。克劳夫上场)让我们向上帝祈祷吧。

纳格: 我的果仁糖!

克劳夫: 厨房里有一只耗子。

哈姆: 一只耗子?还有耗子?

克劳夫: 在厨房里有一只。

哈姆: 你没把它结果了?

克劳夫: 弄得半死了。

哈姆: 它会逃走吗?

克劳夫: 不会。

哈姆: 你过一会儿去把它弄死。向上帝祈祷吧。

克劳夫: 还有什么?

纳格: 我的果仁糖!

哈姆: 先祈祷上帝!(略停)你们准备好了吗?

克劳夫: (顺从地)开始吧。

哈姆: (对纳格)你呢?

纳格：（叉起手，闭上眼，匆忙念着）我们在天之父……

哈姆：别作声！安静！规矩点！开始吧。（摆出祈祷的姿态。静寂。先感到气馁）怎么样？

克劳夫：（睁开眼睛）我才不把你的话当回事呢！你呢？

哈姆：完啦！（向纳格）你呢？

纳格：我在等着。（略停。重新睁开眼睛）不行！

哈姆：下流坯！他并不存在！

克劳夫：还没有。

纳格：我的果仁糖！

哈姆：不会再有果仁糖了。

略停。

纳格：这挺正常。不管怎样我是你父亲。确实，如果那不是我那就会是另一个人。但这不是个借口。（略停）譬如说，卢库木糕①，现在已经没有了，我们都知道它，我之爱它要甚于爱世界上任何东西。有一天我会向你要它，作为对一种操劳的交换，而你也会答应。人是必须适应他的时代的。（略停）你叫的是谁，在你很小的时候，当你害怕时，在夜里？你母

---

① 一种阿拉伯香甜糕点。

亲吗？不。你叫的是我。我们让你叫喊。然后我们离开你，为了能睡觉。（略停）我在睡觉，睡得很香，你把我叫醒了，为了听你说话。并非非要这样，你并不是真的需要我听你说话。而且我也没有听你。（略停）我希望有那么一天你真的需要我听你说话，而且需要听到我的声音，一种声音。（略停）是的，我希望能够活到那一天，为了听到你叫我，就像你很小的时候，害怕了，在夜里，而我是你唯一的希望。（略停。纳格拍打耐尔所在的那个垃圾桶的盖子。略停）耐尔！（略停。他拍打得更响）耐尔！

　　略停。纳格回进他那个垃圾桶，重新盖上盖子。略停。

　　哈姆：玩笑结束了。（他摸索着找那条狗）狗走了。

　　克劳夫：这不是一条真的狗。它没法走。

　　哈姆：（摸索着）它不在这儿。

　　克劳夫：它睡觉了。

　　哈姆：把它拿来。（克劳夫拿起狗交给哈姆。哈姆把它抱在怀里。略停。哈姆扔掉狗）肮脏的畜生！（克劳夫开始捡地上的东西）你在干什么？

　　克劳夫：整理。（他站起身。突然放大声音）我要摆脱这一切！

　　　　　　　　　　　他重新捡东西。

　　哈姆：整理!

　　克劳夫：(重新站起来)我喜欢整齐。这是我的梦想。一个一切都是静悄悄的纹丝不动的世界,每件东西都在它最后的位置上,蒙着最后的灰尘。

　　　　　　　　　　　他重又开始捡东西。

　　哈姆：(恼火地)可你在制造什么啊?

　　克劳夫：(重又站起身,温和地)我在试着制造一点儿秩序。

　　哈姆：让它们掉下来。

　　克劳夫让刚捡起来的那些东西掉下来。

　　克劳夫：管它们掉在什么地方。

　　　　　　　　　　　他向门走去。

　　哈姆：(不快地)怎么啦,你的脚?

　　克劳夫：我的脚?

　　哈姆：就像有很多龙骑兵。

　　克劳夫：我不得不穿高帮皮鞋。

　　哈姆：你的高帮皮鞋弄痛了你?

　　　　　　　　　　　　　　略停。

　　克劳夫：我走了。

　　哈姆：不!

　　克劳夫：要我干什么?

　　哈姆：要你和我争论。(略停)我提前了我的故事。(略停)我很好地提前了。(略停)

53

你要问我提前到哪儿了。

克劳夫：啊，对了，你的故事吗？

哈姆：（很吃惊）什么故事？

克劳夫：你一直对自己说的那个故事。

哈姆：啊，你是说我的小说？

克劳夫：你刚才说的就是。

略停。

哈姆：（恼火地）你再说啊，他妈的，你再说啊！

克劳夫：你很好地提前了你的故事，我希望。

哈姆：（谦虚地）啊，不太多，不太多。（他叹口气）有些日子就是这样，缺乏想象力。（略停）必须等来了想象力。决不能强迫，决不能强迫，这是必然的。（略停）不过我还是提前了一点。（略停）当有了点技巧时，不是吗？（略停。用力地）我说毕竟我还是提前了一点。

克劳夫：（赞赏地）哎哟！你毕竟能把它提前了！

哈姆：（谦虚地）啊，你知道，不太多，不太多，但不管怎样总比没有提前好。

克劳夫：比没有提前好！哎哟，你使我吃惊。

哈姆：我来讲给你听。他是爬着来的……

克劳夫：谁啊？

哈姆：怎么？

克劳夫：他是谁？

哈姆：得了！还有一个呢。

克劳夫：啊，是他！我刚才没敢肯定。

哈姆：爬在地上为他的孩子要口饭吃。我给了他一份园丁的活。在接……(克劳夫笑起来)什么事有这么好笑？

克劳夫：一份园丁的活！

哈姆：这使你感到好笑吗？

克劳夫：可能吧。

哈姆：不就是为了有口饭吃吗？

克劳夫：或是为了孩子。

略停。

哈姆：这一切确实可笑。你愿不愿意和我一起笑一笑？

克劳夫：(想了一下)我今天再也不能笑了。

哈姆：(想了一下)我也不能。(略停)那我就说下去。他在满怀感激地接受前，问我他能不能带着他的孩子。

克劳夫：有多大了？

哈姆：很小。

克劳夫：他会爬树的。

哈姆：各种各样的小活儿。

克劳夫：然后他就长大了。

哈姆：可能吧。

略停。

克劳夫：可往下说啊，该死，你往下说啊！

哈姆：就这些，我不再说了。

略停。

克劳夫：你看到了后果？

哈姆：差不多。

克劳夫：不会这么快就结束吧？

哈姆：怕是这样的。

克劳夫：算了，你就另说一个。

哈姆：我不知道。(略停)我觉得有点筋疲力尽。(略停)创造力上不来了。(略停)要是我能一直爬到海边多好啊！我要为自己做一个沙的枕头，海潮将涌上来。

克劳夫：再也没有海潮了。

略停。

哈姆：去看看她是不是死了。

克劳夫走到耐尔所在的垃圾桶前，揭开盖子，俯身。略停。

克劳夫：好像是的。

他重新盖上盖子，直起身。哈姆摘下无边圆帽。略停。他重又戴上帽子。

哈姆：(手没离开帽子)纳格呢？

克劳夫揭开纳格所在的垃圾桶盖，俯身。略停。

克劳夫：好像没有。

他重新盖上盖子，直起身。

哈姆：(手离开帽子)他在干什么？

克劳夫揭开纳格所在的垃圾桶盖，俯身。略停。

克劳夫：他在哭。

克劳夫重新盖上垃圾桶盖，直起身。

哈姆：所以他活着。(略停)你从没感到过片刻幸福吗？

克劳夫：我不知道。

略停。

哈姆：把我推到窗下去。(克劳夫走向轮椅)我想让脸上感觉到光线。(克劳夫把轮椅往前推)你还记得吧，开始时，当你推我散步时，你笨手笨脚的？你撑得太高了。每一步你都差点把我翻倒！(声音颤抖)嗨嗨，我们俩那时玩得很快乐，很快乐！(沮丧地)后来就习惯了。(克劳夫把轮椅对着右边的窗停下)已经到了吗？(略停。他仰起头。略停)是白天吗？

克劳夫：不是晚上。

哈姆：(恼火地)我问你是不是白天！

克劳夫：是的。

略停。

哈姆: 窗帘没拉上?

克劳夫: 是的。

略停。

哈姆: 这是什么窗?

克劳夫: 人间的窗。

哈姆: 我知道!(恼火地)可这儿没有光线!另一扇!(克劳夫把轮椅推向另一扇窗)人间的窗!(克劳夫把轮椅停在另一扇窗下。哈姆仰起头)这才是光线!(略停)好像是一缕阳光。(略停)不是吗?

克劳夫: 不是。

哈姆: 我脸上感到的不是一缕阳光?

克劳夫: 不是。

略停。

哈姆: 我很苍白吗?(略停。粗暴地)我问你我是不是很苍白!

克劳夫: 并不比平时苍白。

略停。

哈姆: 把窗打开。

克劳夫: 为什么?

哈姆: 我想听听大海。

克劳夫: 你将听不到大海。

哈姆: 即使你打开了窗?

克劳夫: 是的。

哈姆：那就没有必要把窗打开了？

克劳夫：是的。

哈姆：（粗暴地）那就把它打开！（克劳夫踩上梯子，打开窗。略停）你打开了吗？

克劳夫：是的。

略停。

哈姆：你发誓你把窗打开了？

克劳夫：是的。

略停。

哈姆：好吧……（略停）它大概非常宁静。（略停。暴躁地）我问你它是不是非常宁静！

克劳夫：是的。

哈姆：那是因为再也没人航海了。（略停）你怎么一下子话不多了。（略停）不舒服吗？

克劳夫：我觉得冷。

哈姆：现在是几月了？（略停）把窗关上，回去吧。（克劳夫关上窗，从梯子上下来，把轮椅推回原位，依旧站在轮椅后，低着头）别待在那儿，你使我害怕。（克劳夫回到轮椅旁他的位置上）父亲！（略停。放大声音）父亲！（略停）去看看他是不是听见了。

克劳夫走向纳格所在的垃圾桶，揭起盖子，俯身向下。含糊的话。克劳夫直起身。

克劳夫：是的。

哈姆：两次都听见了？

　　克劳夫俯身。含糊的话。克劳夫直起身。

克劳夫：只有一次。

哈姆：第一次还是第二次？

　　克劳夫俯身。含糊的话。克劳夫直起身。

克劳夫：他不知道。

哈姆：大概是第二次。

克劳夫：他不可能知道。

克劳夫重新盖上盖子。

哈姆：他一直在哭吗？

克劳夫：不。

哈姆：可怜的死者！（略停）他在干什么？

克劳夫：他在吮他的饼干。

哈姆：生活在继续。（克劳夫回到轮椅旁他的位置上）给我一条毛毯，我都冻僵了。

克劳夫：没有毛毯了。

略停。

哈姆：吻吻我。（略停）你不愿意吻我？

克劳夫：是的。

哈姆：在额头上。

克劳夫：我哪儿也不想吻你。

略停。

哈姆：（伸出手）至少握握我的手。（略停）你不愿意握我的手？

克劳夫：我不愿意碰你。

略停。

哈姆：把狗给我。(克劳夫找狗)不，不必找了。

克劳夫：你不要你的狗了？

哈姆：不要了。

克劳夫：那我就走了。

哈姆：(低着头，漫不经心地)行。

　　　　　　克劳夫向门走去，回转身

克劳夫：要是我不杀了那只耗子，它会死去的。

哈姆：(依然漫不经心地)行。(克劳夫下场。略停)来人。(他拿出手帕，把它摊开，伸直了手臂拿着手帕)前进。(略停)哭，哭，什么也不为，就为了不笑，渐渐地……你们就真的悲伤起来了。(他把手帕重新折好，放回口袋，重又略抬起头)所有这些我本来可以帮助的人。(略停)帮助！(略停)拯救。(略停)拯救！(略停)他们来自各个角落。(略停。暴躁地)但想想吧，想想吧，你们是在人世间，这是无可救药的！(略停)去吧，你们自己相爱吧！你们自己相舔吧！(略停。稍冷静些)那不是面包，那是千层糕。(略停。粗暴地)给我滚开，你们再回去淫乱吧！(略停。低声)这一切，这一切！(略停)甚至不如一条真正的狗！(稍冷静)开始时就料到结果了，可

61

是还要继续。(略停)或许我本来可以把我的故事讲下去,讲完它,再开始讲另一个故事。(略停)或许我本来可以扑倒在地上。(他艰难地撑起身体,又听任自己倒下)把我的指甲插进这些槽里,把自己往前拖,用手腕的力量。(略停)那将是个终局,我将问自己怎么才能把它带来,怎么才能……(他犹豫着)……为什么它要这样延宕。(略停)我将在那儿,在那又旧又老的避难所里,独自面对静寂和……(他犹豫着)……呆滞。要是我能不开口,保持着平静,只要不说话,不做动作。(略停)我将叫唤我的父亲,叫唤我的……(他犹豫着)……我的儿子。甚至叫两次,三次,如果他们没有听见,第一次时,或第二次时。(略停)我将对自己说,他会回来的。(略停)然后呢?(略停)然后呢?(略停)他没能回来,他走得太远了。(略停)然后呢?(略停。非常激动)全是异想天开!监视着我吧!一个耗子!一些脚步声!一些眼睛!屏住的呼吸,然后……(他呼出一口气)然后说出,很快地,几个词,就像孤独中的孩子,为了把自己看成和别人在一起,两个,三个,为了觉得是在一起,在一起说话,在夜里。(略停)一刻不停地,啪嗒,啪嗒,就像是黍粒……(他思索着)……那个老希腊人的黍粒,整个一生就这么等着让它来完成你的一生。(略停。他想说下去,又放弃了。略停)啊,有了,有了!(他吹哨子,克劳夫上场,手里拿着闹钟。他在轮椅旁停下)嗨,没走远也没死吗?

克劳夫:不过是在想象中。

哈姆:哪一方面?

克劳夫:两方面。

哈姆:走远了你就会死去。

克劳夫:反之亦然。

哈姆:(得意地)远离了我那就是死。(略停)那只耗子怎么样了?

克劳夫:逃走了。

哈姆:它走不远的。(略停。不安地)是吗?

克劳夫:它没有必要走远。

略停。

哈姆:还没到吃镇静剂的时候吗?

克劳夫:到了。

哈姆:啊!终于到了!快拿来!

克劳夫:再也没有镇静剂了。

略停。

哈姆:(恐惧地)……我的……!(略停)再也没有镇静剂了?!

克劳夫:再也没有镇静剂了。你永远都不会有镇静剂了。

略停。

哈姆：可那个小圆瓶，曾经是满的！

克劳夫：是的，但现在已经空了。

略停。克劳夫开始在房间里打转，他想找一个放闹钟的地方。

哈姆：(低声)那我该怎么办。(略停。吼叫起来)那我该怎么办？(克劳夫发现了那块黑板，把它取下来，放在地上，让它依旧靠着墙。他把闹钟挂了上去)你在干什么？

克劳夫：打几个小转转。

略停。

哈姆：看着地上。

克劳夫：又有什么事？

哈姆：因为它在叫你。

克劳夫：你嗓子疼吗？(略停)你要来块蛋白松糕吗？(略停)不要吗？(略停)很遗憾。

他哼着曲子朝右边的窗户走去，在窗前停下，看着窗，回转头。

哈姆：别唱！

克劳夫：(转身对着哈姆)都没有唱歌的权利了？

哈姆：是的。

克劳夫：那你打算怎样结束？

哈姆：你想让它结束吗？

克劳夫：我想唱歌。

哈姆：我又没法阻止你。

      略停。克劳夫回身对着窗。

克劳夫：我把那梯子放哪儿去了？（他用眼睛搜索着）你没看见梯子吗？（他寻找着，看见了）啊，还是找到了！（他走向左边的窗）有时我问自己是否神志清醒。接着就没事了，我的头脑又清醒了。（他站上梯子，看窗外）他妈的！它在水底下！（他看着）这是怎么回事？（他把头伸向前，手搭凉棚）可天没有下雨呀。（他擦玻璃，看着。略停。他拍拍脑门）我多傻！我弄错了方向！（他从梯子上下来，向右边的窗子走了几步）在水下！（他回来取梯子）我多傻！（他把梯子拖向右边的窗）有时我问自己我是不是有头脑，然后就没事了，我又变聪明了。（他把梯子放在右边窗下，爬上去，看着窗外。他转身向哈姆）你有没有特别感兴趣的地带？（略停）还是都感兴趣？

哈姆：（微弱地）都感兴趣。

克劳夫：总的印象吗？（略停。他转身对着窗外）看那儿。

          他看着。

哈姆：克劳夫！

克劳夫：（全神贯注）唔。

哈姆：你知道一件事吗？

克劳夫：（依然全神贯注着）唔。

哈姆：我从来没有去过那儿。（略停）克劳夫！

克劳夫：（转身对着哈姆，恼火地）什么事？

哈姆：我从来没有到过那儿。

克劳夫：你真走运。

他回身对着窗外。

哈姆：总是没在场。这一切我都没在场。我不知道发生了什么。（略停）你知道发生了什么吗，你？（略停）克劳夫！

克劳夫：（转身对着哈姆，恼火地）你希望我看着那堆垃圾，是还是不是？

哈姆：先回答我。

克劳夫：什么？

哈姆：你知道发生了什么吗？

克劳夫：在哪儿？什么时候？

哈姆：（暴躁地）什么时候！出事的时候！你没听懂吗？发生了什么？

克劳夫：这会有什么关系？

他转身对着窗外。

哈姆：我不知道。

略停。克劳夫转向哈姆。

克劳夫：（生硬地）当佩格大妈为她的灯

问你要点油,当你把她撵走,在那一刻你知道发生了什么没有?(略停)你知道她是因为什么死的,佩格大妈?因为黑暗。

哈姆:(微弱地)我那时没有油。

克劳夫:(依然生硬地)有的,你有的!

略停。

哈姆: 你拿着望远镜吗?

克劳夫: 没有。那都足够大了。

哈姆: 去拿。

略停。克劳夫抬眼看天,双臂举向空中,双拳紧握。他失去平衡,挂在梯子上,他下了几级,停下。

克劳夫: 有一件事使我惊讶。(他下到地面上,停下)为什么我总是听你的指挥。你能给我解释吗?

哈姆: 不……可能是怜悯吧。(略停)一种伟大的怜悯。(略停)你或许做得很吃力,做得很吃力。

略停。克劳夫开始在房间里打转。他在寻找望远镜。

克劳夫: 我对我们的故事厌倦了,非常厌倦。(他寻找着)你没坐在那上面吗?

他移开轮椅,察看刚才被轮椅遮住的地方,重又开始寻找。

哈姆:(极端不安地)别把我留在这儿!

(克劳夫狂怒地把轮椅推回原地,重又开始寻找。微弱地)我在正中央吗?

克劳夫:得有一个显微镜来找这……(他看见了望远镜)总算找到了!

他拿起望远镜,走向梯子,爬了上去,把望远镜对着外面。

哈姆:把狗给我。

克劳夫:(边看着)住嘴。

哈姆:(放大声)把狗给我!

克劳夫放下望远镜,双手抱头。略停。他匆匆从梯子上下来,找那条狗,找到了,捡起来,急急走向哈姆,把狗朝他脑门上扔去。

克劳夫:拿着你的狗!

狗掉到了地上。略停。

哈姆:你打我。

克劳夫:你激怒了我,我愤怒!

哈姆:如果你应该打我,那就用大铁锤打。(略停)或者用挠钩打,来呀,用挠钩打呀。别用狗。用挠钩。或者用大铁锤。

克劳夫捡起狗递给哈姆,他把它抱在怀里。

克劳夫:(乞求地)别再演戏了!

哈姆:决不!(略停)把我放到我的棺材里去吧。

克劳夫:不会再有棺材了。

哈姆：那就结束吧！（克劳夫走向梯子。哈姆暴躁地）那就跳吧！（克劳夫登上梯子，停下，下来，寻找望远镜，捡起来，重新登上梯子，举起望远镜）黑暗！我？难道永远都不能原谅我吗？

克劳夫：（放下望远镜，转身向哈姆）什么？（略停）你这是对我说？

哈姆：（恼火地）自言自语！笨蛋！你是第一次听到自言自语吗？（略停）我在开始我最后一次独白。

克劳夫：我告诉你。我要看那个讨厌的地方，因为是你要我看的。可这绝对是最后一次了。（他拿望远镜瞄准）看着吧……（他拿望远镜扫视着）什么也没有……什么也没有……好……很好……非常……（他惊跳起来，放下望远镜，检查它，重又瞄准。略停）哎哎哎！

哈姆：情况又复杂了！（克劳夫从梯子上下来）但愿不会再跳起来！

克劳夫再次走近窗前的梯子，爬了上去，用望远镜瞄准。略停。

克劳夫：哎哎哎！

哈姆：是一片树叶？是一朵花？一个西红……（他打了个呵欠）……柿？

克劳夫：（观察着）去你妈的西红柿！有人！是人！

哈姆：那么，去干掉他。(克劳夫从梯子上下来)有人！(激动地)完成你的使命！(克劳夫急急向门走去)不，没必要。(克劳夫停下)有多远？

克劳夫回到梯子旁，爬上去，用望远镜瞄准。

克劳夫：七十……四米。

哈姆：是在靠近？还是在离开？

克劳夫：(始终观察着)没动。

哈姆：性别？

克劳夫：这有什么重要？(他打开窗，俯身向外。略停。他又直起身，放下望远镜，转身向哈姆。恐惧地)好像是个小孩。

哈姆：职业？

克劳夫：什么？

哈姆：(暴躁地)他是干什么的？

克劳夫：(始终观察着)我不知道他是干什么的！小孩能干什么。(他拿望远镜瞄着。略停。他放下望远镜，转身向哈姆)他好像是坐在地上，背靠着什么东西。

哈姆：那块竖着的石头。(略停)你的视力有进步了。(略停)他肯定在看着这所房子，以垂死的摩西那样的目光。

克劳夫：不。

哈姆：那他在看什么？

克劳夫：(粗暴地)我不知道他在看什么!(他拿望远镜瞄着。略停。他放下望远镜,转向哈姆)他的肚脐。总之是那个方位!(略停)为什么你问这些?

哈姆：他可能已经死了。

克劳夫：我这就去。(他从梯子上下来,扔下望远镜,向门走去,停下)我拿挠钩去。

他找到挠钩,拿在手里,向门走去。

哈姆：没必要。

克劳夫停下。

克劳夫：没必要?一个生身父亲?

哈姆：要是他存在着,他会来这儿或者就在那儿死去。如果不存在,那就没有必要。

略停。

克劳夫：你不相信我?你以为我是编造的?

略停。

哈姆：结束了,克劳夫,我们已经结束了。我不再需要你了。

略停。

克劳夫：正是时候。

他向门走去。

哈姆：把挠钩留给我。

克劳夫把挠钩给他,向门走去,停下,看着那个闹钟,把它取下,用眼睛寻找一个更合适的地方,走向梯子,把闹钟放在梯子上,回到轮椅旁他的位置上。略停。

克劳夫: 我走了。

略停。

哈姆: 走之前,说些什么吧。

克劳夫: 没什么可说的。

哈姆: 说几句话……我可以……在心里回忆回忆。

克劳夫: 你的心!

哈姆: 是的。(略停。大声地)是的!(略停)把其余的,到最后了,把那些阴影,那些埋怨,所有的痛苦,一起结束。(略停)克劳夫……(略停)他从没有对我说过。后来,到最后,在走之前,我没要他说,他却对我说了。他对我说了……

克劳夫: (感到不堪忍受)啊……!

哈姆: 某件事……来自你心里的。

克劳夫: 我的心!

哈姆: 几句话……来自你心里的。

克劳夫: (唱起来)
美丽小鸟,离开笼子,
飞向我心爱的人,
栖身在她的上衣内,
对她说我是多么厌烦。

略停。

行了吧？

哈姆：（苦涩地）侮辱！

> 略停。

克劳夫：（目不转睛地看着，声音含糊）你对我说过，爱，就是这样的，是这样的，是这样的，相信我吧，你看见了吧……

哈姆：说清楚些！

克劳夫：（依然声音含糊）……这很简单。你对我说过，友谊，就是这样的，是这样的，是这样的，我向你保证，你不需要到远处去找。你对我说，就是这儿，别走，抬起头，看着这种荣耀。这是个命令！你对我说过，来吧，你不是一个笨蛋，想想这些事，你将发现一切都变得那样清晰，而且简单！你对我说过，所有这些受到致命伤害的人，你是怎样能干地照料着他们……

哈姆：够了！

克劳夫：（依然声音含糊）我在心里想……克劳夫，有时，你必须能更好地承受这样的痛苦，如果你希望别人厌倦对你的这种折磨的话……有朝一日。我对自己说……克劳夫，有时，你必须更好地待在这儿，如果你希望他放你走的话……有朝一日。可是我觉得自己太老了，已经无能为力了，去养成新的习惯。算了，这永远都结束不了，我永远都走不了。

(略停)接着有一天,突然,这正在结束,这正在改变,我不明白,这正在走向死亡,或者说是我,我不明白,也不明白这。我求他说说别的话……睡觉,醒来,晚上,早晨。除了这就无话可说。(略停)我打开了我那单人牢房的门,我走了。我的背驼得这样厉害,我见到的只是自己的脚。要是我睁开眼睛,在我的双腿之间只有一点儿浅黑色的灰尘。我对自己说,这大地熄灭了,尽管我从未见到它发过光。(略停)就这样孤零零地走着。(略停)当我摔倒时,我将因幸福而流泪。

略停。他向门走去。

哈姆:克劳夫!(克劳夫停下,未回头。略停)没什么。(克劳夫又往前走)克劳夫!

克劳夫停下,未转身。

克劳夫:这就是我们说的抵达出口。

哈姆:谢谢你,克劳夫。

克劳夫:(转过身,激动地)啊,对不起,是我该向你道谢。

哈姆:是我们,该互相道谢。(略停。克劳夫向门走去)还有一件事。(克劳夫停下)最后一个恩典。(克劳夫下场)把我藏在毛毯底下。(长时间沉默)不行吗?好。(略停)来人。(略停)来打牌。(略停。疲倦地)输了总是这样的结局,完了。(略停。略显激动)啊。(略停)对了!(他试图撑着挠钩移动轮椅。这时克劳夫上场。巴拿马帽子,粗花呢上衣,臂上搭着雨衣,雨伞,行李箱。在门口,一动不动,眼睛盯着哈姆,克劳夫直到最后都没动弹。哈姆放弃了)好。(略停)扔掉。(他扔了挠钩,想扔那条狗,又改变了主意)这么个小不点。(略停)然后呢?(略停)脱掉。(他脱了他的无边圆帽)让我们的屁股……安静。(略停)重新戴上。(他重新戴上无边圆帽)均等了。(略停。他摘下眼镜)擦拭。(他拿出手帕,不打开,擦拭眼镜)重新戴上。(他把手帕放回口袋,重新戴上眼镜)行了。还有几件这样的蠢事,于是我呼唤。(略停)一点儿诗。(略停)你曾经呼唤……(略停。他自我纠正)你曾经渴求黑夜;它来了……(略停。他自我纠正)它降临了,就在这儿。(略停)多美丽。(略停)然后呢?(略停)没有那样的时刻,永远都不会有,但它们记下了账。账结清了,故事也结束了。(略停。叙述者的口吻)如果他能把他的孩子带在身边……(略停)我以前等的就是这样的时刻。(略停)你们不愿抛弃他?你们希望他长大,而与此同时你们、你们却在缩小?(略停)希望他能使你们成千上万个最后的一刻变得温和?(略停)他没有觉察,他只知道饥饿、寒冷和最终的死亡。可是你们!

你们应该知道什么叫作，土地，现在。(略停)啊，我把它放在一切责任之前！(略停。原来的声音)这就行了，我明白了，够了。(他拿起哨子，犹豫着，松开了它。略停)是的，果真！(他吹哨子。略停。更响。略停)好。(略停)父亲！(略停。更响)父亲！(略停)好。(略停)行了。(略停)怎么样结束？(略停)扔掉。(他扔了狗。他扯下哨子)瞧！(他把哨子扔在他前面。略停。他嗅着。轻声地)克劳夫！(久久的静默)不在？好。(他拿出手帕)既然它是这么玩的……(他摊开手帕)……我们就这么玩吧……我们就别再说了……(他摊好了手帕)……别再说了。(他伸直胳臂把摊开的手帕拿在他面前)旧手帕！(略停)你……我留着你。

略停。他把手帕拿向自己，用它盖住脸，让两条胳臂耷拉在扶手上，不再动了。

落幕

默剧一

赵家鹤 译

《默剧一》于1957年4月1日演出于伦敦皇家宫廷剧场,并于同月演出于巴黎香榭丽舍小剧场,由德利克·芒代尔扮演剧中男人这一角色。

人物

一个男人。动作熟练,折起又打开他的手帕。

舞台

舞台上空荡荡的。灯光炫人眼目。

剧情梗概

倒退着被从舞台右侧的后台抛出来,那人步履踉跄,摔倒,立刻又爬起,掸去尘土,思索。

右侧后台传来一哨子响声。

他思索,从右侧下场。

立刻被抛到舞台上,他步履踉跄,摔倒,立刻又爬起,掸去尘土,思索。

左侧后台传来一哨子响声。

他思索,从左侧下场。

立刻被抛到舞台上,他步履踉跄,摔倒,立刻又爬起,掸去尘土,思索。

左侧后台传来一哨子响声。

他想了想,走向左侧后台,将近走到时又停下,向后猛一退,步履跟跄,摔倒,立刻又爬起,掸去尘土,思索。

一棵小树从舞台上空吊布景的部位降下,落到地上。树上只有一根离地三米的树枝,树梢上几片稀疏的棕榈叶投下淡淡的阴影。

他始终在思考。

空中传来哨子声。

他回转身,看那棵树,思索,向树走去,坐在树荫下,看着自己的手。

一把裁衣剪刀从舞台上空吊布景的部位降下,停在树前离地一米处。

他始终看他的手。

空中传来哨子声。

他抬起头,看见了剪刀,思索,取下剪刀,开始剪手指甲。

棕榈叶压到树干上,阴影消失了。

他放下剪刀,思索。

一只小小的长颈大肚玻璃瓶,挂了一个硬直的大标签,上面写着**水**字,从舞台上空吊布景的部位降下,停在离地三米处。

他始终在思考。

高处传来哨子声。

他抬起眼睛,看见了那个长颈大肚玻璃

瓶，思索，站起身，试着去取，没够着，放弃，思索。

一个大立方体从舞台上空吊布景的部位降下，落地。

他始终在思索。

高处传来哨子声。

他回转身，看见了那个立方体，看着它，看着那个长颈大肚玻璃瓶，取来立方体，放在长颈大肚玻璃瓶底下，检查是否平稳，站上去，试着去取那个长颈大肚玻璃瓶，没够着，下来，把那立方体放回原处，回转身，思考。

第二个小一点的立方体从舞台上空吊布景的部位降下，落地。

他始终在思考。

高处传来哨子声。

他回转身，看见了第二个立方体，看着它，把它放在长颈大肚玻璃瓶底下，检查是否平稳，站上去，试着去取那个长颈大肚玻璃瓶，没够着，下来，想把这立方体放回原处，改变主意，将它放下，去找那个大的立方体，把它放在小的立方体上，检查是否平稳，站上去，大立方体滑下，他摔倒，立刻又爬起，掸去尘土，思考。

他拿起小立方体，把它放在大的上面，检查是否平稳，站上去，要去取那个长颈大肚玻璃瓶，就在这时，后者轻轻升起，停在他够不到的地方。

他下来，思考，把两个立方体放回原处，依次排好，回转身，思考。

第三个更小的立方体从舞台上空吊布景的部位降下，落地。

他始终在思考。

高处传来哨子声。

他回转身，看见了第三个立方体，看着它，思考，回转身，思考。

第三个立方体重新升起，消失在舞台上空吊布景的部位。

在长颈大肚玻璃瓶的边上，一根打着结的绳子从舞台上空吊布景的部位降下，停在离地一米处。

他始终在思考。

高处传来哨子声。

他回转身，看见了那根绳子，思考，他攀绳而上，想去取那个长颈大肚玻璃瓶，就在这时，绳子松弛，又将他带回地面。

他回转身，思考，用眼睛寻找那把剪刀，找到了，走去拿起来，回到绳子旁，准备把它剪开。

绳子绷紧，把他提起，他吊着，剪开绳子，重又掉下，扔了剪刀，摔倒，立刻又爬起,掸去尘土,思考。

绳子很快重又升起,消失在舞台上空吊布景的部位。

他拿着剪下的那段绳子,做了一个套索,想用它去套那个长颈大肚玻璃瓶。

长颈大肚玻璃瓶很快升起,消失在舞台上空吊布景的部位。

他回转身,思考。

他手里拿着套索走向那棵树,看着那根树枝,回转身,看着那些立方体,重又看那根树枝,丢下套索,走向立方体,拿起那个小的,把它搬到树下,回转身取那个大的,把它搬到树下,想把大的放在小的上面,改变主意,把小的放在大的上面,检查是否平稳,看那根树枝,回转身,俯身去取那个套索。

树枝压下来,贴着树干。

他重又直起身,手里拿着套索,回转身,察看。

他回转身,思考。

他把那些立方体放回原处,依次排好,仔细地卷好那个套索并把它放在小的立方体上。

他回转身,思考。

右侧后台传来哨子声。

他思索,从右侧下场。

立刻又被扔回舞台上,他步履踉跄,摔

倒，立刻爬起，掸去尘土，思考。

左侧后台传来哨子声。

他不动。

他看看他的手，用眼睛寻找那把剪刀，看见了，走过去捡起来，开始修剪指甲，停下，思考，手指在剪刀刀锋上划过，用手帕擦拭刀锋，走去把剪刀和手帕放在小立方体上，回转身，解开领子，解放脖子，并用手触摸。

小立方体载着套索、剪刀和手帕重又升起并消失在舞台上空吊布景的部位。

他回转身想再去拿剪刀，发现已消失了，他坐在大立方体上。

大立方体颤动，把他扔在地上，重又升起并消失在舞台上空吊布景的部位。

他依旧侧卧在地上，脸朝着观众，目光凝视。

那个长颈大肚玻璃瓶降下，停在距他的身体半米处。

他不动。

高处传来哨子声。

他不动。长颈大肚玻璃瓶又下来了些，在他脸的四周晃悠。

他不动。

长颈大肚玻璃瓶重又升起并消失在舞台上空吊布景的部位。

那棵树的树枝重又翘起，棕榈叶又展开，阴影又回来了。

空中传来哨子声。

他不动。

那棵树重又升起并消失在舞台上空吊布景的部位。

他看着他的手。

落幕

默剧二

赵家鹤 译

《默剧二》于 1964 年 7 月 2 日首演于伦敦奥德维奇剧院，人物 A 由弗雷蒂·琼斯扮演，人物 B 由乔弗莱·亨斯利福扮演。

该默剧演出于舞台深处，舞台被设在突出于两侧后台的一个狭窄的平台上，整个平台都被强烈的灯光照射着。

两个人物中，第一个 A 迟钝和笨拙（穿衣服或脱衣服时边插科打诨），第二个 B 却动作准确而充满活力。因此，尽管 B 要做的事比 A 多，但两人的动作差不多同时完成。

剧情梗概

地上，靠在一起，离右侧后台两米远处（就观众而言），放着两个袋子，A 的和 B 的，B 的袋子在 A 的袋子的右边，也就是说，离后台更近些。在 B 的袋子旁有一小堆衣服（C），放置得很仔细（上衣和长裤上面放着一顶帽子和一双鞋）。

赶牛棍从右侧上场，严格顺着水平方向前

进。赶牛棍的尖头在距 A 的袋子三十厘米处停了下来。略停。尖头朝后退，停了片刻，钻进袋子，退出，又回到距袋子三十厘米处的位置上。略停。袋子不动。尖头重又后退，后退的幅度较第一次略大一些，停了片刻，重又钻进袋子，退出来，重又回到原来的距袋子三十厘米的位置上。略停。袋子动了起来。赶牛棍下场。

　　A 穿着一件衬衫，从袋子里爬出来，不动，胡思乱想，两手交叉，祈祷，胡思乱想，站起身，胡思乱想，从衬衫口袋里拿出装着几片药的小药瓶，胡思乱想，吞下一片药，把药瓶放回口袋，胡思乱想，一直走到那一小堆衣服前，胡思乱想，穿衣，胡思乱想，从上衣口袋里拿出一个切了一刀的粗粗的胡萝卜，咬了一口，嚼了一小会儿，恶心地吐了出来，放回胡萝卜，胡思乱想，抓住两个袋子，因为重，摇摇晃晃地把袋子拖到了平台中央，放下，胡思乱想，脱衣服(保留衬衫)，把脱下的衣服扔得满地都是，胡思乱想，又取出药瓶，又吞下一片药，胡思乱想，跪下，祈祷，爬回袋子不再动弹。A 的袋子现在在 B 的袋子的左边。

　　略停。

赶牛棍上场，装在有大轮子的第一个支座上。尖头在距 B 的口袋三十厘米处停下。略停。尖头退后，停了一小会儿，钻进袋子，退出来，回到原来的距袋子三十厘米处的位置上。略停。袋子动了。赶牛棍下场。

B 穿着一件衬衫，从袋子里爬出来，站起身，从衬衫口袋里拿出一块很大的表，看时间，放回，做了几个体操动作，又看表，从口袋里取出一把牙刷，使劲地刷牙，放回牙刷，看表，使劲搔头皮，从口袋里取出一把梳子梳起头来，放回梳子，看表，一直走到那堆衣服旁，穿衣，看表，从上衣口袋里取出一把衣刷使劲刷衣服，脱下帽子，使劲刷头发，戴上帽子，放回衣刷，看表，从上衣口袋里拿出那根胡萝卜，咬了一口，津津有味地嚼着，咽着，放回胡萝卜，看表，从上衣口袋里拿出当地地图，察看着，放回地图，看表，从上衣口袋里拿出一个指南针，察看着，放回指南针，看表，捡起那两个袋子，因为重，跟跟跄跄地把袋子拖到了平台中央，距左侧后台两米处，放下，看表，搔头皮，梳头，看表，刷牙，看表并给表上发条，爬回袋子内不再动弹。B 的袋子现在又像刚开始时那样在 A 的袋子的左边。

略停。

赶牛棍上场，装在第一个有轮子的支架上，在它后面，跟随着第二根同样的赶牛棍。尖头在距 A 的袋子三十厘米处停下。略停。尖头后退，停了一小会儿，钻进袋子，退出，停在距袋子三十厘米处。略停。袋子未动。尖头重又后退，比第一次后退的幅度略大些，停了一小会儿，再一次钻进袋子，退出，回到距袋子三十厘米处的原位。袋子动了。赶牛棍下场。

A 从袋子里爬出来，停下，双手交叉，祈祷。

落幕

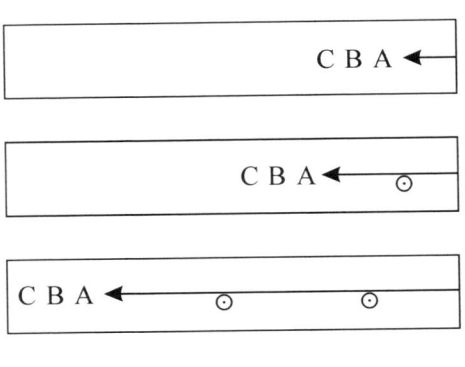

舞台前部

戏剧片段一

谢 强 袁晓光 译

街角,瓦砾。

甲是盲人,坐在一张折椅上,吱吱嘎嘎地拉小提琴。身边放着琴盒,琴盒半敞着,立在地面,上面架着一只木碗。

甲停止拉琴,转头向右侧后台,倾听。

停顿片刻。

甲:行行好吧!行行好吧!

稍顿。甲又开始拉琴。复又止,转头向右侧后台,倾听。

乙上场。坐着轮椅,用一根撑杆撑着走。

甲:(不耐烦地)行行好吧!

停顿片刻。

乙:音乐!(稍顿)这不是在做梦吧。或许看错了!音乐是无声的!在音乐面前,我是个哑巴!(他来到甲跟前停下,伸头向木碗里看。无动于衷)可怜的人。(他伸手在甲眼前晃晃。又无动于衷地说)可怜的人。(稍顿)现在，我可以回去了，不会再有什么惊喜了。(他向后退，停住)不如我们搭帮，一起生活，一直到死。(稍顿)您说好不好，比利，我可以叫您比利吗？我儿子也叫比利。(稍顿)您不想有个伴儿吗，比利？(稍顿)您想吃罐头吗，比利？

甲：什么罐头？

乙：咸牛肉罐头，比利，只剩下这个了。节省着吃，可以坚持到夏天。(稍顿)不是吗？(稍顿)还有几个土豆，有两三公斤吧。(稍顿)您喜欢吃土豆吗，比利？(稍顿)我们不如让土豆发芽，等时候差不多了，就把它种在地里，这值得试试。(稍顿)不是吗？(稍顿)我去找地，您负责种。(稍顿)好不好？

停顿。

甲：树怎么样？

乙：说不好。您知道，现在是冬天。

停顿。

甲：现在是白天还是夜晚？

乙：嗯……(抬头看天)……就算是白天吧。但是没有太阳，否则，您也不会问。(稍顿)您明白我的想法吗？(稍顿)比利，您有反应吗？您能有一点反应吗？

甲：只是对光亮吗？

乙：光亮？(抬头看天)对，是光亮，用不着别的词。(稍顿)要不要我给您描述一下光亮?(稍顿)要不要我试着解释一下光亮?

甲:有时候,我觉得我在这儿过夜,拉琴、倾听,过去,我能觉出天黑了,我会准备收摊儿。我放好琴,收起木碗,然后就等着她拉我的手,扶我站起来。

停顿。

乙:她?

甲:我老婆。(稍顿)一个女人。(稍顿)可现在……

停顿。

乙:怎么样?

甲:我出门时不知道白天黑夜,我回来时不知道黑夜白天,在这儿时也不知道白天黑夜。

乙:您原来不总是这样的。出什么事了?因为女人?赌博?上帝?

甲:我总是这样的。

乙:算了吧!

甲:(激动地)我总是这样吗?蹲在黑暗里,喝着四面来风,弹着陈词滥调。

乙:(激动地)我们都曾有过自己的女人,不是吗?您的女人牵您的手;我的女人呢?我的女人晚上把我拉下轮椅,早上扶我上轮椅,当我不听话时,就把我推到街角,不是吗？

甲：残疾人？（稍停。面无表情地）可怜的人。

乙：只有一件麻烦事：掉头。我常感到我拼命往前走，可以走得很快！但要绕一个大圈！终于有一天，我才明白，我可以从原路返回。（稍顿）就像这样，我从 A 点开始……（他往前走了一步，停住）……一直走到 B 点。（他后退一下）……然后再回到 A 点。（轮椅前冲）这是直线运动！不需绕道！（稍顿）这下您开心了吧？

甲：有时候，我听到脚步声、说话声。我就想他们回来了，有人回来了，不是回来休息，就是找他们忘带的东西，或者他们抛弃的人。

乙：回来？谁愿意再回这儿来！（稍顿）您没叫他们吗？（稍顿）没呼叫吗？（稍顿）什么都没做？

甲：您没发现什么吗？

乙：我？瞧您说的……我在这角落里，坐着，黑咕隆咚的，一天待二十三小时。（激动地）您想让我发现什么？（稍顿）现在您开始了解我了，您认为我们会和睦相处吗？

甲：您说您有咸牛肉罐头？

乙：说真的，您到底靠什么活到今天？您早该饿死了。

甲：总会有一些剩东西的。

乙：能吃吗？

甲：有的可以吃。

乙：您怎么不让自己饿死？

甲：总的来说，我的运气不错。那天，我被一口袋核桃绊倒。

乙：真的！

甲：一个装满核桃的小口袋，横在路中间。

乙：好吧，您运气好。可您为什么不让自己饿死？

甲：我也曾想过。

乙：(不耐烦地)但为什么没做！

甲：因为我还不够不幸。(稍顿)我的不幸就是还不够不幸，我不幸，但还不够。

乙：但您本应该一天比一天不幸。

甲：(激动地)我就是不够不幸！

停顿。

乙：依我看，我们俩生来就该和睦相处。

甲：(向周围指了指)这儿现在是什么样？

乙：您知道，我从来不走远，总在家门口转悠。我还是第一次来这儿。

甲：您看看这周围行吗？

乙：不行，不行。

甲：在黑暗里待了这么久，您就不想——

乙：（激动地）不想！（稍顿）当然，如果您希望我看看周围，我会看的。如果您愿意推我走一步，我会试着一边走一边给您讲讲周围的景色。

甲：您是说您给我指路？我不会再迷路了？

乙：当然不会。我给您指路，比利，慢点儿，我们前面是一个垃圾堆；到时候，听我的，先掉头，然后向左转。

甲：您真的要指路！

乙：（优越地）慢点儿，比利，慢点儿，我看见那边河沟里有一个圆盒，可能是一个汤罐头或是一罐菜豆。

甲：菜豆！

停顿。

乙：您开始喜欢我了吗？（稍顿）还是我的错觉？

甲：菜豆！（他站起来。把提琴和琴弓放在折椅上，向轮椅方向摸去）您在哪儿？

乙：在这儿，亲爱的。（甲抓住轮椅，盲目地向前推）停！

甲：（推着轮椅）这很容易！这很容易！

乙：停！（他用手里的撑杆向后打。甲放开轮椅，向后退。稍停。甲摸索着试图回到他的折椅处。他站着不动，不知该往哪儿走）对不起！(稍顿)比利，对不起！

甲：我现在在哪儿？(稍顿)我刚才在哪儿？

乙：这下我失去他了。他刚有点儿喜欢我，我就打了他。他要离开我。我再也见不到他了。我再也见不到什么人，再也听不到人的声音了。

甲：您还没听够吗？永远同样的呻吟，从摇篮一直哼唧到坟墓。

乙：(可怜地)您离开之前为我做点什么！

甲：好吧！您听见了吗？(稍顿。可怜地)我走不了！(稍顿)您听见了吗？

乙：您走不了？

甲：我不能扔下我的东西。

乙：要这些东西有什么用？

甲：没有用。

乙：那您为什么不能丢下它们？

甲：不能。(他又开始摸索着走，止步)要么我找到它们。(稍顿)要么我越找越远。

他又开始摸索着找。

乙：请帮我整理整理毯子，我的脚露出来了。(甲止步)我自己可以做，可要费很多时间。(稍顿)帮我一下，比利。(稍顿)然后我就可以回家了，躲进我那老窝，对自己说，我最后遇见的人，我打了他，可他还救了我。

(稍顿)在心里寻找一些爱的寄托,而后带着同类的谅解死去。(稍顿)您这样看着我有什么用?(稍顿)我说了我不该说的话吗?(稍顿)我的灵魂像什么?

甲摸索着向他走来。

甲:出点儿声。

乙弄出点儿声。甲摸索着走,止步。

乙:您连嗅觉也没有吗?

甲:这里的味都一样。(他伸出手)您伸手够得着我吗?

他站着,伸出手。

乙:等一下。您帮我怎么还叫我帮忙?(稍顿)我是说不能无条件吗?(稍顿)上帝啊!

停顿。他抓住甲的手,把他拉向自己。

甲:您的脚?

乙:怎么啦?

甲:您刚才不是在说您的脚吗?

乙:对呀,我知道。(稍顿)不错,帮我包好它。(甲摸索着弯下腰)蹲下,跪下来好一点!(乙帮助甲跪到适当的地方)这儿。

甲:(不耐烦地)嘿,放开我!您要我帮您,可您却抓着我的手不放!(乙松手。甲在毯子里摸找)您只有一条腿?

乙:就一条腿。

甲:那条呢?

乙：烂了，锯掉了。

甲用毯子包脚。

甲：这样行吗？

乙弯腰看。

乙：再包严一点儿。（甲又使劲包了包）您的手真灵！

停顿。

甲：（朝乙的胸部摸索）剩下的都在这儿啦？

乙：现在您可以起来了，有什么要求您说吧。

甲：剩下的都在这儿啦？

乙：剩下的？人们只锯掉了我的腿，您是想知道这儿吗？

甲的手继续往上摸，摸到乙的脸，停下。

甲：这是您的脸？

乙：是呀。（稍顿）您以为它是什么？（甲用手指摸索着，停下）这儿？我脸上的痘。

甲：红色的？

乙：紫色的。（甲抽回手，仍跪着）您的手真灵！

停顿片刻。

甲：天还亮着吗？

乙：亮？（他抬头看天）还算亮吧。（看天）没有比这词更好的了！

甲：天不是快要黑了吧？

乙朝甲弯下身去,摇晃他。

乙:喂,比利,站起来,您压得我不舒服。

甲:天不是快要黑了吧?

乙抬头看天。

乙:白天……黑夜……(看天)有时候,我觉得在隆冬没有太阳的时候,在黄昏的暮色中,地球可能停止转动。(他朝甲弯下身去,摇晃他)喂,比利,站起来,您压得我难受。

甲:地上还找得到草吗?

乙:我看不到。

甲:(激烈地)哪儿都没有绿色吗?

乙:有点儿苔藓。(稍顿。甲的两只手叠放在毯子上,枕着头)仁慈的上帝呀!您不会也祈祷吧!

甲:不。

乙:不哭吧!

甲:不哭。(稍顿)我可以把头这样靠在一个老人的双膝上一直待下去。

乙:我是单膝。(用力摇晃甲)快给我站起来!

甲:(待得很舒服)真清净!(乙粗暴地推他。甲四脚朝天摔倒在地。稍停)如果哪天我没挣够钱,朵拉就会对我说:"你和你的竖琴滚出去!你最好爬着走,把你爹的勋章别在屁股上，脖子上挂着讨钱罐。你和你的竖琴见鬼去吧！你以为自己是谁？"她逼我睡在地上。（稍顿）我成什么了……（稍顿）这个，我无法接受……（稍顿，他站起来）无法接受……（他开始摸索，止步，倾听。停顿）如果我听得久了，我可以听出哪根弦松了。

乙： 您的竖琴？（稍顿）竖琴是怎么回事？

甲： 我过去有一把小竖琴。别说话，让我听听。

停顿片刻。

乙： 您要这样听很长时间吗？

甲： 几个小时，听所有的声音。

他们一起听。

乙： 什么声音？

甲： 我也不清楚。

他们一起听。

乙： 我能看到它。（稍顿）我能看……

甲：（恳求地）您就不能安静点吗？

乙： 不能！（甲两手抱头）我看得很清楚，在那边，在折椅上。（稍顿）比利，如果我拿到了，就归我了，行吗？（稍顿）我说，比利，到底行不行啊？（稍顿）或许有一天，可能有另外一个老头从他的窝里钻出来，来这儿看到您正在吹口琴。而您却跟他讲您从前那把小提琴的事。(稍顿)会不会,比利?(稍顿)或者您正在唱歌。(稍顿)哎,比利?您觉得我说得有理吗?(稍顿)或者您丢失了口琴,正在那里,迎着冬天的寒风像乌鸦一样呱呱叫。(他用撑杆捅甲的背)会不会,比利?

甲猛地转过身来,抓住撑杆的另一端,用力从乙的手中夺下。

(20世纪60年代?)

戏剧片段二

谢 强 袁晓光 译

屋子尽头的正中是一扇对开的大窗，窗户敞开着。外面是明亮的夜空，但看不到月亮。

舞台前部左侧，一张小桌摆在墙与窗户的中轴线上。桌上有一盏关着的台灯和一个塞满文件的公文包。

右侧，与左侧对称，有一张同样的小桌，桌上只有一盏关着的台灯。

屋子的门在舞台前部左侧。

丙站在窗前，靠左侧，背向舞台。

长时间停顿。

甲上场。坐到右边的桌子前，背朝墙壁。稍停。他打开台灯。掏出手表，看了看时间，把表放在桌子上。稍停。他关上台灯。

长时间停顿。

乙上场。坐到左边的桌子前，背朝墙壁。稍停。他打开台灯，打开公文包，把里面的文件都掏出来放在桌上。抬头，看见甲。

乙：是你呀！

甲：嘘！关灯。（乙关闭台灯。长时间停顿。轻声地）夜色多美啊！（长时间停顿。自言自语地）我真是不明白。（稍顿）他干吗需要我们的帮助。（稍顿）像他这样的人，（稍顿）我们怎么会无偿地帮助他。（稍顿）我们是什么人。（稍顿）莫名其妙。（稍顿）反正……（稍顿。重新打开台灯）我们干活吧？（乙也重新打开台灯，在桌上那堆文件里翻找）拣主要的。（乙翻找）给他归纳一下，咱们就走。（乙翻找）准备好了？

乙：好了。

甲：你说吧。

乙：让他跳下去。

甲：什么时候？

乙：马上。

甲：从哪儿？

乙：从这儿就行。每层高三米或三米半，足有二十五米高。

停顿。

甲：我觉得我们好像是在六楼吧。（稍顿）他会怎么样？

乙：他肯定会屁股着地，他摔过一次。脊梁骨碎了，肠子也爆了。

停顿。甲站起身来,走到窗前,探出身子,向下看。稍停。他直起身来,望天空。稍停。转身回到自己座位。

甲:是满月。

乙:还不是。明天才是。

甲从口袋里掏出一个小记事本。

甲:今天是几号?

乙:二十四号。明天是二十五号。

甲:(翻页)十九……二十二……二十四……(口里念着)圣母奥克西里亚特丽斯。满月。(他把记事本放回口袋里)刚才说到哪儿了?好像是……让他跳下去。这就是我们的结论。

乙:工作,家庭,第三国度,外遇,经济状况,艺术与自然,良心,健康状况,居住,上帝与人,尽他妈是倒霉事。

停顿。

甲:(思考)这是理性吗?(稍顿)是理性吗?(稍顿)幽默感呢?是相对的?

乙:不清楚。

停顿。

甲:我们会不会出差错?

乙:(气愤地)我们的消息来源绝对可靠。我们反复斟酌,审定,核查,核实。(拿起一摞文件)这里面没有一个字不是铁的事实。像教堂一样坚实可靠。(他把手里的文件重重地摔到桌上。纸散了一地)糟糕!

乙把纸从地上捡起来。甲举着灯给他照亮,围着乙走了一圈,然后把灯放回原处。

甲:这住所真是糟透了。(转身向窗户)不过,景色还是不错的。(稍顿)那是木星吗?

停顿。

乙:在哪儿?

甲:关灯。(他们把灯关上)一定是它。

乙:(恼火地)在哪儿?

甲:(恼火地)在那儿。(乙身子前倾、后仰)那儿,右边角上的那颗。

停顿。

乙:不是,它在闪动。

甲:那你说是什么星?

乙:(满不在乎地)不知道。天狼星。(乙重新打开灯)我说,咱们是干活还是玩呀?(甲重新打开灯)你忘了,他现在不在家。他在照顾猫。每到月末,他都在船屋过。(稍停,提高声调)你忘了,他现在不在家。

甲:(恼火地)我忘了,我忘了!他呢,他就不会忘吗?(激动地)他忘,我们才有救!

乙:(在他那堆文件里翻找着)证词……证词呢……?(他拿起一页纸)听这句:"大象

表现重击，麻雀表现世界之歌。"杜佩先生证词，这是他的挚友，在埃纳省弹管风琴。

停顿。

甲：(沮丧地)不怎么样！(嗤嗤)！

乙：我接着念："当问到我们之间关系恶化时"——括弧——"(指分居)，他只会列举五六次流产，我们婚后的日子被搞得一团糟"——括弧——"(我也不愿意这样)。所以，只要多少沾一点肉欲方面的事儿，我都要拒绝和反对"——括弧——"(或不情愿地!)。至于我们的幸福"——括弧——"(因为，我们曾经很幸福。我记得在卡奥尔合欢树下我们第一次互换誓言；在邦多尔新婚之夜开始的十五分钟；还有在位于医院大街上那间温馨小屋里度过的灯火通明前几夜)我没什么好说的，先生，没什么好说的了。"露易斯-伯诺尔-勒格利太太证词，医院大街纽扣店主。

甲：(沮丧地)不怎么样！

乙：我还引了这段——"虽然他只记得我国历史上的灾难事件，可这没妨碍他在中学会考中获第一名。"证人格拉夫拉尔先生证词，他的挚友，克勒斯的菜农。(稍顿)"我们家里没人为他掉泪。天知道，即使有泪，也会因为日子、时间和事情，被汇集和珍藏在这永不枯竭的悲伤之源里。没有快乐,幸亏从未有过,即使有,那也是一种被腐蚀剂彻底溶解了的反常现象。在这一点上他像我。"已故诺莫尔-雷格利斯太太的证词,女作家。(稍顿)你还要听吗?

甲:够了。

乙:听这段——"听他讲自己的生活,几杯酒下肚,别人会相信他是在地狱中过日子。我们听得捧腹大笑。我从中选了一段,很受欢迎。"伯尔登先生证词,戏剧演员,他的挚友,烦塔尔纳-加龙的奈格贝利斯的寡妇高德-伯尔登太太转交。

停顿。

甲:(失望地)不好!(稍顿)不好!

乙:你瞧。(夸张地)他不在家,他非常清楚这一点。

停顿。

甲:现在看看对他有利的证词。

乙:有利的?你是说让他觉得有朝一日……(他犹豫,然后,突然激动地)可以翻案的证词?嗯?你是这个意思吗?(稍停。稍微平静地)没有这样的证词。

甲:(无所谓地)有,有,一定有。这才是最精彩的。

停顿。乙在文件里翻找。

乙：(抬头)对不起,伯尔特朗。(稍顿。乙翻找。抬头)我不知道怎么啦。(稍停。乙翻找。抬头)一阵心慌。(稍停。乙翻找)好像有一次摇彩的事,你还记得吗?

甲：不记得了。

乙：(念)"两百注……中彩者可获得一块高档手表……纯金,19K,准确无误,带日期,标时、分、秒,极其俏丽,永不磨损,精密计时,镶十九颗红宝石,防震,防磁,全密封,防水,不锈钢,绝版款式,带大秒针,瑞士零件,豪华蛇皮表带。"

甲：你瞧!根本没希望的事。非要赌一把。快点,看看他的下文!

乙：可惜彩票不是他自己买的。是别人给他的。你忘了。

甲：(恼火地)忘了,全忘了!可他没忘……(稍顿)他还是收下了?

乙：谁知道!

甲：这么说,他接受了?(稍顿)或者说,他没拒绝?

乙：我接着念——"最后一次见到他时,我正要去取一张邮局汇票。邮局门前,有一些挂着铁链、禁止车辆停靠的石桩。他坐在一个石桩上,背向汤普森工场。看样子没收到多少钱。他弓着身,两腿叉开,双手撑着膝盖,低着头。看这姿势,还以为他正在呕吐。可走近一看,我发现他正仔细观察他两脚之间一摊狗屎。我用伞尖轻轻拨弄了一下狗屎。看见他的目光紧盯不放,随之移动。当时大约是下午三点!借光,我承认,我当时实在是没有勇气跟他问好。我胡乱把一张我觉得没多大希望的彩票塞进他裤子后袋,在心里祝他好运。两个小时后,我存好钱从邮局出来时,他还在那儿,还是那个姿势。我多次问自己他是否还活着。"证人佛克曼先生,书写专家,他的患难之交。

停顿。

甲:这是哪天的事?

乙:最近。

甲:可听起来怎么像是以前的事。遥远的回忆,(稍顿)还有其他的吗?

乙:(翻动桌上的文件)噢……还有些零星细节……一个可能有点儿遗产的老姨妈……一盘和墨尔本笔友没有下完的棋……希望在灭种之灾中幸免……没有被完全泯灭的文学爱好……康布罗尼大街乳品店女老板的屁股……都是这类事。

停顿。

甲:我们今晚弄完它,怎么样?

乙:听你的。明天我们去公爵酒吧。

甲：(闷闷不乐地)我们什么也不能让他知道。我们一会儿要永远离开他了，除了他已经知道的，别留下新东西。

乙：所有这些证词，他一无所知。这次他死定了。

甲：那也不一定。(稍顿)这里面还有重要的东西吗？(拿起一份文件)这很重要。(晃动手里的文件)我觉得要搞出一些他自己说出来的事……

乙：(拿起几份文件)"绝密"，看看……(笑)里面没什么内容。(拿起文件)绝密……绝密……啊！

甲：(不耐烦地)有新发现吗？

乙：(念到)"头痛……视力模糊……无缘地惧怕蝰蛇"……这些没用……"纤维瘤……鸣禽恐惧症……听觉障碍……温情渴望"……有希望了……"内倾寡言……天生腼腆……"啊！你听这个——"对别人的意见非常敏感……"(乙抬起头)怎么样！

甲：(沮丧地)不怎么样。

乙：我把这一段全念给你听。(念道)"对别人的意见非常敏感——"(他的灯自己灭了)嘿！灯泡烧了！(灯又自己亮了)没烧。可能是接触不良。(他检查灯，移动电线)是电线问题，现在好了。(继续念)"对别人的意见非常敏感——"(灯又灭了)妈的!

甲:你晃晃试试。(乙晃灯。灯又亮了)瞧!这一手儿还是我当童子军的时候学会的呢。

停顿。

乙、甲:(一起)"非常敏感——"

甲:别碰桌子。

乙:为什么?

甲:别再碰桌子。如果是接触不良,不碰就没事了。

乙:说得容易!我怎么拿文件呀?

甲:那你就小心点。

乙:(往后挪了一下椅子)"非常敏感——"(灯又灭了。乙重重地往桌上捶了一拳。灯又亮了。稍停)

甲:电这玩意儿,还挺神秘的。

乙:(语速很快地)"对别人的意见非常敏感,我是说在我认识他和结识他的过程中——"(中断)什么乱七八糟的。

甲:(神经质地)别停!别停!

乙:"……在我认识他的过程中,出现过两种情况,我是说,一种是听起来顺耳的,一种是听着不顺耳的,说真的——"(中断)妈的!这句话的动词哪儿去了?

甲:什么动词?

乙：主语的动词!

甲：我怎么知道。

乙：我来找动词，不管这中间的废话了……(找)"是……能……"还真不少!……"保持……不知"……妈的!……"我当时可惜"……啊，找到了!(得意地)"我当时可惜无力——"对，就是它!

甲：现在看看是什么意思？

乙：(郑重地)"对别人的意见非常敏感"……废话……废话……废话……"我当时可惜无力——"

灯灭。长时间停顿。

甲：咱们换个位子好吗？(稍顿)你明白我的意思吗？(稍顿)你带上文件坐到我这儿来，我坐到你那儿去。(稍顿)别哭丧着脸，莫尔万，愁也没用。

乙：是神经紧张!(稍顿)哼，如果我年轻二十岁，我才不在乎呢!

甲：嘘!别说蠢话。跟朋友也别说。

停顿。

乙：我可以到你那儿去吗？(稍顿)我需要人间的温暖。

停顿。

甲：(冷冰冰地)随你便。(乙站起身，朝甲走过去)不过带上你的文件。(乙回身拿文件和公文包。回身走向甲,把文件和公文包放到桌子上,站着。稍停)你想坐在我腿上?

停顿。乙回去取他的椅子,又回到甲处,停在桌前,手里搬着椅子。稍停。

乙:(腼腆地)我坐在你旁边好吗?(他们对视)行吗?(稍停。沮丧地)那好吧,坐在你对面。(他在甲的对面坐下,看着甲。稍停)继续吗?

甲:(大声地)赶紧搞完,回家睡觉。

乙在文件中翻找。

乙:我用一下灯。(他把灯往自己这边拉了拉)可别再灭了。黑灯瞎火的我们两个可怎么办?(稍顿)你有火柴吗?

甲:有!(稍停)我们做什么?到窗边去看星光。(另一盏灯自己亮了)要去,你自己去好了。

乙:(激动地)啊,不。我才不一个人去呢。

甲:给我一张纸。(乙递给他一张纸)关上灯。(乙关上灯)真是的,你那盏灯怎么又亮了。(乙转身)去关了它。

乙:我觉得,这个玩笑开大了。

甲:可不是。去关了它。

乙站起身,走到他的桌子前,关了灯。稍停。

乙：现在我该干什么？再开灯？

甲：到我这儿来。

乙：那你先开灯。我什么也看不见。

甲打开灯。乙回到甲对面坐下。甲关灯，站起身。手里拿着文件，走到窗前，停下，看夜空。停顿。

甲：据说这一切都是热核聚变的结果！美如仙境！（他低头看手里的纸，有些犹豫）"十岁时，第一次离家出走，第二天被送回家，遭到训斥，被原谅。"（稍顿）"十五岁时，第二次离家出走，八天后被送回家，遭呵斥，被原谅。"（稍顿）"十七岁时，第三次离家出走，六个月后夹着尾巴回来，遭禁闭，被原谅。"（稍顿）"十七岁时，最后一次离家出走，近一年后回来，疲惫不堪。被赶出家门，获饶恕。"

停顿。甲走到窗前，想看清丙的脸。他不得不把身子向后仰出窗外。背悬在空中。

乙：当心！

长时间停顿。人不动。

甲：（沮丧地）不好！（又站稳身子）开灯。（乙打开灯。甲又回到他的桌旁，重新坐下。把文件给乙，乙接）真不容易，不过总算看到了。

乙：他长得怎么样？

甲：不漂亮。

乙：还是面带微笑吗？

甲：好像是吧。

乙：什么，好像是，你不是刚刚看过？

甲：我看的时候他没笑。

乙：（满意地）噢！（稍顿）没人知道他干吗要这么笑。那眼睛呢，总是瞪着吗？

甲：闭着的。

乙：闭着！

甲：噢，可能是不愿意看我吧。现在可能又睁开了。（稍顿。激动地）最好把人二十四小时固定住，连续一个星期！还不让他们发觉！

停顿。

乙：我觉得，我们抓住他了。

甲：干吧，耽误不少时间了。快点儿，快点儿。

乙翻找文件，找到刚才那页纸。

乙：（很快地读）"对别人的意见非常敏感"……废话……废话……废话……"我当时可惜，只能记住十多分钟，最多十五分钟。我必须要这么多时间。超过这个时间，我就什么都不记得了。"（稍顿）真可惜。

甲：（满意地）明白了吧！（稍顿）他在哪儿说的这些话？

乙：在他写给一位崇拜他的匿名女士的信中，但信好像没有发出。(遗憾地)这事儿，我忽略了！

甲：一个崇拜他的女人？还有女人崇拜他？

乙：听着，亲爱的朋友和崇拜者，人们都这样说。

甲：喂，莫尔万，别激动。给女性崇拜者的信，我知道是怎么回事。你可别妄加评论。

乙：(激动地拍拍手里的文件)就是这些资料，最新情况。我们就靠它们了。现在不能说这个(拍拍左边的文件)好，那个(拍拍右边的文件)不好。你可真烦人！

停顿。

甲：好吧。我们来归纳一下。

乙：我们一直在归纳。

甲：暗淡的未来，过去——根据他记忆的——是不可饶恕的，留下的理由不充分，忠告是无效的。同意吗？

乙：那个有点儿遗产的老姨妈呢？

甲：(热烈地)这事跟她没关系。(严肃地)莫尔万，我们应该揣摩客户的脾气禀性，拼凑材料是不够的。

乙：(生气地，拍打文件)要我说，客户不在别的地方，就在这些材料里。

甲：瞧你说得！这涉及一次个人利益了吗？这个老姨妈跟他不就是客套客套吗？还有那个乳品店的女老板，自从他在那儿买咸干奶酪后，不就是尊重他一些吗？（稍顿）对不对，莫尔万，你说呢？

一声短促的猫叫。稍停。又一声猫叫，声音略大。

乙：是猫叫。

甲：可能吧。（稍长停顿）怎么样，同意吗？暗淡的未来，过去是……

乙：够了！（他动手把文件往公文包里装。疲倦地）让他跳下去。

甲：不再多弄点儿证据了？

乙：让他跳下去！跳下去！（他收拾好文件，站起来，手里提着公文包）走吗？

甲看看手表。

甲：现在是……十点……二十五分。十一点二十之前没有火车。不如再聊会儿，打发时间。

乙：什么十一点二十？是差十分十一点。

甲从兜里掏出火车时刻表，翻到对应的一页，递给乙。

甲：你看打了叉的那栏。（乙查阅时刻表后，还给甲，重新坐下。长时间停顿。甲清了清嗓子。稍停。热情地）今天有多少不幸的人在适时地知道他们是多么不幸之后,还会感到不幸!(稍顿)你还记得杜伯瓦吗?

乙: 杜伯瓦?(稍顿)从不认识姓杜的人。

甲: 你肯定认识!那个一头红发的胖子。他总在那个叫"大石头"的地方溜达。他现在什么也做不了。一次打猎的时候,他的命根子被打掉了。当时,他准备打一只鹌鹑,可枪在他裤裆里走了火。

乙: 我想不起来。

甲: 总之,在他焦头烂额的时候,他又得知他太太被一辆救护车轧死了。妈的,他说,真不该错过。现在他在春天百货找到一个职位。(稍顿)米德瑞德怎么样了?

乙: (反感地)噢,你知道——(忽然传来鸟叫,很快消失。稍停)好家伙!

甲: 夜莺!

乙: 吓了我一跳!

甲: 嘘!(低声地)听!(稍停。又传来鸟叫,叫声略响,短促。稍停)好像在这间屋子里!(甲站起来,踮着脚往屋子深处走)来,咱们找找看。

乙: 我害怕!

可他还是站了起来,小心翼翼地跟在甲身后。甲踮着脚朝屋子右侧深处走去,乙紧跟其后。

甲：（回头）嘘！（他们往前走，到屋角停下。甲划着一根火柴，举过头顶。稍停。低声地）不在这儿。（他扔掉火柴，跐着脚，经过窗前，乙紧随其后。他们走到屋子左侧尽头屋角，划着一根火柴）它在这儿！

乙：（往后退）在哪儿？

甲蹲下。稍停。

甲：帮帮忙！

乙：别动它！（甲吃力地站起来，双手抱着一个大鸟笼子，鸟笼被一块绿色丝绒罩罩着，罩边镶着珠子。他磕磕绊绊地朝他的桌子走去）我来帮你。

乙帮着甲扶鸟笼。俩人小心翼翼抬着鸟笼朝甲的桌子走。

甲：（气喘吁吁地）等等！（他们站住。稍停）走吧！（他们往前走，把鸟笼轻轻地放在桌子上。甲从背着大厅一侧轻轻地掀起丝绒罩，往笼里看）把灯拿过来。

乙举着灯，往笼子里面照。两人俯身往笼子里看。长时间停顿。

乙：有一只鸟死了。

两人看。

甲：你有铅笔吗？（乙递给他一根长铅笔。甲把笔从笼子的缝隙伸进去。稍停）是死的。

甲抽出铅笔,放进自己兜里。

乙:我的!

甲把笔还给他。他们往笼子里看。甲握住乙的手,挪动灯。

甲:这么举着。

他们往笼子里看。

乙:是公的还是母的?

甲:是母的。瞧,多惨呀!

看着笼子里面。

乙:(夸张地)刚才是这只鸟叫吗?(稍顿)听叫声,好像是梅花雀?

甲:梅花雀!(扑哧,笑出声)得啦,莫尔万,你笑死我了,我还没活够呢!梅花雀!(扑哧一笑)还燕雀呢,笨蛋!瞧这只鸟,淡绿色的尾巴多漂亮!头上蓝色羽冠!白色的条纹,金黄色的喉部。(说教地)另外,夜莺的鸣啭很特别,一听就知道。(稍顿)啊,你太漂亮了!我的宝贝儿,你真好看!哗!哗!哗!哗!哗!(稍停。沮丧地)话说回来,漂亮又怎么样!现在还不是一堆有机肥!

他们看着笼子里面。

乙:它们没东西吃。(指着)咦,这是什么?

甲:这个。(稍停。声调平缓地)这是老墨鱼骨。

乙：墨鱼？

甲：墨鱼。

甲放下丝绒罩。稍停。

乙：算了吧，伯尔特朗。别难过了，这不怪我们。(甲抱起笼子，拿回屋子左侧尽头。乙放下灯，跑过去)我来帮你。

甲：行了，行了！(他一直走到屋角，乙跟在身后。把笼子放到原来的地方，甲直起身，往自己桌子走，乙仍跟在他后面，甲停住)莫尔万，别这么跟着我好不好。你打算让我像海难逃生那样从窗户跳出去吗？(稍停。乙走到桌前，拿起他的公文包和椅子回到自己的桌前，背朝窗户坐下。他打开台灯，又马上关上)如何收场呀？(长时间停顿。甲走到窗前，擦亮一根火柴，举在空中，端详丙的脸。火柴燃尽，他把余烬扔出窗外)嘿！你来看！(乙没动。甲又擦亮一根火柴，举在空中，看丙的脸)快过来看！(乙没动。火柴燃尽。甲把余烬扔在地上)就像这样！

甲掏出自己的手绢小心翼翼地去擦丙的脸。

(20世纪60年代？)

广播剧速写

谢 强 袁晓光 译

主审人　　　　　　　迪克(哑巴)
打字员　　　　　　　福克斯

主审人：准备好了吗，小姐？
打字员：好了，先生。
主审人：空白记录簿和备用铅笔呢？
打字员：都准备好了，先生。
主审人：精神好吗？
打字员：非常好，先生。
主审人：你呢，迪克，来一下？（牛皮鞭的呼啸声。赞赏地）太棒了！照硬处再来一下。（鞭子呼啸声和巨大的撞击声）很好。摘掉他的头罩。（稍顿）脸蛋儿多可爱，多可爱！是不是，小姐？

打字员：是的，先生，我们对他太熟悉了，可每次看，总还会吃惊。

主审人：拿掉塞口布。（稍顿）解开蒙眼布。（稍顿）松绑。（稍顿）很好。（他用一把沉甸甸的圆标尺朝桌面一击）福克斯，睁开眼睛，适应适应白天的光线，看看你周围。（稍顿)看清楚了,还是同一拨人。我希望——

打字员:(惊讶地)哎呀!

主审人:怎么啦,小姐?有小东西钻到您漂亮的内衣里去啦?

打字员:他冲我笑!

主审人:这是个好兆头。(不安地)这不会是第一次吧?

打字员:天啊!先生,您想哪儿去了!

主审人:(失望地)算我错了。(稍顿)您还怕这个?

打字员:天啊!是的,先生,太突然了!笑得那么灿烂!那么短促!

主审人:您都记录下来了?

打字员:噢,不,先生,我只记话。(稍顿。吃惊地)先生,要不要把面部表情也记下来?

主审人:我也不知道,小姐。有些可能该记。

打字员:可我,您知道——

主审人:(果断地)暂时先什么也别记。(用尺子拍了下桌子)福克斯,我希望你昨晚缓过来了,今天该有更好的表现。小姐。

打字员:是,先生。

主审人:把昨天的结论报告再念一遍,我有点记不清了。

打字员：（念道）"经全体同意——"

主审人：跳过这段。

打字员：（念道）"……十分遗憾地发现这些谈话——"

主审人：谈话！（稍顿）请继续念。

打字员：（念道）"……十分遗憾地发现这些谈话，包括当天进行的所有谈话内容，均存在同样的缺欠，故完全不予认可。后半部分，尤为明显，带有某种——"

主审人：跳过去。

打字员：（念道）"……真实的绝望，这是我们的信念——"

主审人：跳过去。（稍顿）怎么啦？

打字员：完了，先生。

主审人："均存在同样的缺欠……故完全不予认可……真实的绝望……"（不悦地）那好吧。（稍顿）好。继续念。

打字员：就这些，先生。除非您还想听听他们的建议。

主审人：念来听听。

打字员：这些建议对我们很不客气，先生。

主审人：听听看。

打字员：（念道）"……特对我们上述建议修订如下：

1. 不要在意简单的喊叫。这些喊叫只会给我们添麻烦。

2. 保证原件准确无误。每个字符都有自身的重要性,或可能具有重要意义。

3. 在会议期间外,对议题保持完全中立态度,尤其口头保密和把握分寸。**绝对**不允许——(解释说)强调**绝对**一词——从任何渠道,无论是明的,还是暗的,向外透露消息。孤独中吐露的只言片语**可能**是**有用**的。因为,莫瑟已经证明有用的东西可能被忽略——(解释)强调**可能有用**四个字。

4. 对——"

主审人:够了。(反感地)行啦。(稍顿)行啦。

打字员:已经下午两点多了,先生。

主审人:(强打起精神)几点了?

打字员:已经下午两点多了,先生。

主审人:(粗暴地)那您还等什么?(稍顿。温和地)对不起,小姐,对不起,我太暴躁了。(稍顿)对不起!

打字员:(冷冰冰地)是不是从昨天中断的地方接着念?

主审人:那样最好。

打字员:(念道)"我给鼹鼠擦肥皂,冲洗,然后用炭火烘干,我没有把它重新放回到风雨中，而是把它放回到它的窝里，那会儿它的小心脏还在怦怦地跳，我发誓，啊，天啊，我的上帝。(用铅笔敲着桌子)我的上帝！"

停顿。

主审人：真没想到。嗯，如果我没记错的话，他就说到这儿。

打字员：是的，先生，他再也不想说了。

主审人：迪克抽他了吗？

打字员：我看了……抽了，抽了两次，先生。

停顿。

主审人：这光不刺眼吗，小姐？要不把窗帘放下来？

打字员：谢谢，先生，别为我忙了。我觉得这儿不算太热，也不特别晃眼。不过，可以的话，我想脱掉外套。

主审人：(殷勤地)怎么不可以，小姐，怎么能不可以呢！(稍顿)太美了！太美了！唉，我要年轻四十岁该多好！

打字员：(重新念道)"啊，我的上帝，我的上帝。(用铅笔敲着桌子)我的上帝！"

主审人：啊，青春！岁月无情！(用尺子拍了下桌子)听到没有？绑起来。(安静片刻)迪克。(牛皮鞭抽打在肉上的声音。福克斯的低吟声。稍顿)您没记下来吧，小姐？

打字员：见鬼！我马上擦掉。

主审人：擦掉，小姐，快擦掉，我们的麻烦已经够多的了。(用尺子拍了下桌子)绑起来。(安静片刻)迪克。

福克斯：哦，这个，我可以说，算是我亲身经历，遍地都是石头，遍地都是——

主审人：等——等。

福克斯：……不远处有个围墙——

主审人：(用尺子拍了下桌子)安静！迪克！(沉默片刻。低声地，思考状)经历过，经历过……(稍顿)他以前是不是也说过这种话，小姐？

打字员：先生，哪种话？

主审人："我亲身经历过。"

打字员：噢，是的，先生，这种意思出现过几次。但不一定用这个词，现在我一下子说不准，用它比喻自己的生活，不一定是常出现的情况，也不新奇。

主审人：比喻他自己的生活？

打字员：是的，先生，他自己的生活经历。

主审人：(失望地)有道理。我本该想到的。(稍顿)瞧我这记性！(稍顿)小姐，您读过佛罗伦萨的那位圣人的《炼狱》吗？

打字员：没有，先生，我只浏览过《地狱》。

主审人：(怀疑地)没读过《炼狱》?

打字员：可惜,没有,先生。

主审人：在炼狱里,每个人都在叹息,我这样,我那样,如敲丧钟。很奇怪,是不是?

打字员：您指什么,先生?

主审人：其实,人们更企盼的是"我要怎样",对不对?(稍顿)不是吗?

打字员：(略显鄙夷地)这些可怜虫!(稍顿)快下午三点了,先生。

主审人：(叹了口气)好吧。接着念吧。

打字员：(念道)"……不远处有个围墙——"

主审人：请站远一点儿,小姐,这桌子没租出去。

打字员：(念道)"……可以说我亲身经历,遍地都是石头,遍地都是——"(解释说)"听不清——围墙——"

主审人：(用尺子拍了下桌子)绑起来。(安静片刻)迪克。

打字员：先生。

主审人：(不耐烦地)什么事,小姐,您没看到时间都浪费掉了吗?

打字员：我是想说对他温和一点儿,先生,温和一点儿。

主审人：(被激怒地)这就受不了!以后

怎么办?(斩钉截铁地)不能软,小姐,我理解您的心情。可是,我有我的方法。要不要我告诉您?(稍顿。恳求地)别拒绝我!(稍顿)啊!您多可爱!你可以坐下,迪克。(稍顿)她要说的意思是:减轻压力,而不是增加压力。(抒情地)爱抚,是崇高的表现!是悔过之源!(恢复平静)迪克,继续打。(牛皮鞭抽打在肉上的声音。福克斯的低吟声)请注意,小姐。

打字员: 别担心,先生。

主审人:(用尺子拍了下桌子)"……围墙……"围墙前边是什么?

打字员: "不远处",先生。

主审人: 这就对了。(用尺子拍了下桌子)"……围墙不太远……"(用尺子拍了下桌子)绑起来。(安静片刻)迪克。

打字员: 先生!

福克斯: 这事儿,我可以说,是很远的地方,有双大眼睛,从下看到上,再从上看到下,慢慢打量着,唉,回头看看,我小的时候这些只长在鹅卵石上的青苔虽死犹活,我就是从那里钻进通道。(稍顿片刻。尺子拍桌子声)大海,也是一样,可以说,我是从通道走近大海,头上是蓝色的,尽头也是蓝色的,噢,对了,就在那里,我走不动了,一切都终止了，再见了；再见了，我倒下了，告别了四季，去进行下一次旅行。(稍顿片刻。尺子拍桌子声)再见了。

稍停。尺子拍桌子声。停顿片刻。

主审人：迪克。

福克斯：这事儿，我可以说，不是很远的地方，春天还长在地上，秋天就变成一道菜，或者颠倒过来，煎炒的夏天和冬天。

停顿片刻。

主审人：好啊，说得好。"煎炒的夏天……"真香啊，还合辙押韵。是不是，小姐？

打字员 ⎱(一起) ⎰噢，我觉得——
福克斯 ⎰   ⎱噢，这事儿——

主审人：嘘！

福克斯：……累，真累，肚子里装着我兄弟，我那双胞胎兄弟，我要是他，他要是换了我——啊不，不可能。(稍顿片刻。尺子拍桌子声)我，我又站起来，继续往前走，不怕您笑，其实这是他，他饿了。莫德对我说，打开你的肚子，或者敞开肚皮，不要紧的，如果他还活着，我喂他奶吃，这可不行，不行，不行。(稍停片刻。尺子拍桌子声)这可不行。

停顿。

主审人：(气馁地)真没办法。

打字员：他哭了，先生，我要记下来吗？

主审人： 我真不知道该怎么说您好，小姐。

打字员： 那就叫……怎么说呢……人性特征……可以这么说吗？

主审人： 我从来没见过，小姐。不过，大概可以这么说。

福克斯： 痒——痒——

主审人： 安静点儿！(稍顿)他没被绑着！

打字员： 按照上述说法……我觉得……可能在……必要时……

停顿。

主审人： 您知道斯泰恩的作品吗，小姐？

打字员： 可惜，不知道，先生。

主审人： 也许我记错了，不过，他的作品里好像有这么一段，一个天使接到一滴眼泪……对，好像是……他确实是大主教的孙子。(半遗憾半自豪地)哎，这些文学评论总忘不了，它们在时刻窥伺着你。(稍顿。突然坚决地)记下来，小姐，听天由命吧。回到我们刚才中断的地方……(稍顿)那个女人是谁，她叫……

打字员： 叫莫德。先生，我不知道是怎么回事，到现在为止，她从来没有出现过。

主审人： (激动地)您能肯定吗？

打字员： 肯定，先生。您看，我奶奶叫莫德，如果他以前提过这个名字，我肯定会吃惊的。

　　停顿片刻。

　　主审人：也许我记错了，不过，我印象中这好像是第一次——当然，直至现在！——他第一次说出某人的名字，不是吗？

　　打字员：这完全有可能，先生。如果不从头看一遍，我还真不能确定这一点。可这需要很长时间。

　　主审人：他的家人呢？

　　打字员：只字未提过。我也觉得奇怪，我的家人对我的生活太重要了！

　　主审人：怎么同时蹦出一个女人——还有名有姓的——和一个兄弟。给我说说……！

　　停顿片刻。

　　打字员：那个孪生兄弟，先生……

　　主审人：是的，我知道，这不太可信。

　　打字员：（气愤地）这根本就不可能！他肚子里装着！他怀的！

　　主审人：不不，有可能，有可能。自然，您知道……（窃笑）万幸呀！没有魔鬼的世界，您见过吗！（略顿片刻，陷入想象）不，我认为这不是问题。（热情地）您瞧，小姐，重要的并不是这件事本身，反而让我奇怪，不对。重要的是这个措辞，这个想法！他装着他兄弟的想法！（稍顿）还有，特别是那个女人……

您刚才说叫什么名字?

打字员：莫德，先生。

主审人：莫德！

打字员：她还有奶，又不是商场买的，那谁还会有奶呢？

主审人：人类的善良！（稍顿）把那段再给我念一遍，小姐。

打字员：（重新念道）"我呢，站起来，继续往前走，不怕您笑，其实是他，他饿了。莫德对我说，打开你的肚子，或者敞开肚皮，不要紧的，如果他还活着，我会喂他奶吃，这可不行，不行。（她用铅笔敲打桌子）不行。"

停顿。

主审人：然后他哭了。

打字员：正是，先生。所以我把这叫作人性特征。

停顿。

主审人：（激动地小声说）小姐。

打字员：（小声地）先生。

主审人：（同上）我们是不是要成功了？（稍顿）哇，您露出牙时真迷人！如果我……（犹豫）年轻三十岁该多好！

打字员：已经三点半了，先生。

主审人：（叹气）好吧。继续。接着念。

打字员："噢，不行，不行——"

主审人:"啊,不行……"是不行吗?

打字员: 您说得对,先生,是"啊,不行——"

主审人:(严肃地)准确点,小姐。

打字员:"啊,这可不行,不行。(用铅笔敲打着桌子)不行。"

主审人:(尺子拍桌子声)绑起来。(安静片刻)迪克。

打字员: 他睡着了。

主审人: 看来这家伙还不够硬朗,迪克。(牛皮鞭轻抽的声音)可不管怎么说,还是要打!(狠狠的一鞭。福克斯的低吟声。尺子拍桌子声)"啊,这可不行,不行。"绑起来。

福克斯:(声嘶力竭地)放我走!我宁愿让滚轮碾死!

主审人: 又来了!又来了。"让滚轮碾死!"

打字员: 幸亏他被捆着。

主审人:(温和地)放聪明点儿,福克斯。别——迪克,你坐下——别这么较劲。你很为难,我们知道。我们也知道,有些事不完全取决于你。我们还知道,你可以不用担心说出来后,会陷入孤独。到死都不说。可是,有一点是明确的,你讲得越多,你的机会也就越多,是不是,小姐?

打字员：那还用说。

主审人：(像在开导一个又懒又笨的学生)不要闪烁其词！要拣重要的——不论是什么主题！(抽鼻子)话题多一些！(抽鼻子)瞧这永远不变的荒原景色，多美呀！(抽鼻子)兔子却不在这里，真是怪事。(抽鼻子)这些云母页岩，你知道(抽鼻子)它们长久以来发挥着什么作用。(抽鼻子)你们这些家伙！这群畜生！(抽鼻子)您有没有手绢借我用一下，小姐。

打字员：给，先生。

主审人：您真好。(大声地擤鼻涕)谢谢。

打字员：噢，您留着用吧，先生。

主审人：不，不，现在好多了。(对福克斯)很显然，我们现在还知道，您比我们清楚什么线索或什么方式。可到现在为止，您仍抱着你们只能获得这些的心理，您不要以为靠重复这几件事就能混过去，那才怪呢。

打字员：他睡着了，先生。

主审人：(激动地，大声说)一个人，或者一件缺少的东西，一个人可能看见您……(压低声音)……看见您经过的人！我没有说就一定是这样，但您要想，好好想想，您能有什么危险？(爆发地)即使您说的不是真的！

打字员：(惊讶地)哦，先生！

主审人：一个父亲，一个母亲，一个朋友，一个叫……贝阿特丽丝的女人，不，我不让您做不可能的事。就是，看见……您经过的那个人！（稍顿）那个女人……叫什么来着……

打字员：莫德，先生。

主审人：对，这个莫德，你们可能并肩而行，好好想想！

打字员：他睡着了，先生。

主审人：迪克——不，等等。去吻他一下，小姐，这样可能会使他感动。

打字员：吻哪儿，先生？

主审人：心，肚子——随便什么地方。

打字员：不，我是问吻他什么地方，先生。

主审人：（生气地）吻他的臭嘴，您想吻他哪儿？（打字员吻福克斯。福克斯号叫）真他妈棒，使劲干！（福克斯号叫）嘬他的舌头！

安静片刻。

打字员：他晕过去了，先生。

停顿。

主审人：（烦恼地）唉……我可能有点儿过分了。（稍顿）不该那么早把您派上场。

打字员：不，先生，您没有时间等了，正是时候。（伤心地）是我没有积极配合。

主审人: 算啦,算啦,小姐!说别的吧!(稍顿)到点了吗?(伤心地)我说得太多了。

打字员: 算啦,算啦,先生,别这么说!这是您的职责,您是主审人。

停顿。

主审人: 那眼泪的事,小姐,您还记得吗?

打字员: 记得,先生,很清楚。

主审人: (不安地)这可能不是第一次吧?

打字员: 天啊!不是,先生,您怎么想到的?

主审人: (失望地)我担心的就是这事儿。

打字员: 对了,去年冬天就有好几次呢,您不记得了吗?

主审人: 去年冬天!亲爱的小姐,我昨天怎么就没想起来,第一次亲热的时候他就掉进洞中。是去年冬天!(稍顿。激动地低声叫)小姐。

打字员: (低声地)先生。

主审人: 那个叫……莫德的……

停顿。

打字员: (鼓励的口吻)是的,先生。

主审人: 怎么样……瞧……我本不打算……我现在才敢说……可我觉得……我们好像……终于有所收获了。

打字员：快说，先生。

主审人：关键是眼泪，说来就来。这已经不是第一次了，对吧。但出现在相同情形下！

打字员：还有奶，先生，别忘了还有奶。

主审人：乳房！几乎能看到！

打字员：谁把她搞成这个样子的，这也是个疑点。

主审人：什么样子，小姐，我不明白。

打字员：有人让她怀孕了。(稍顿。不耐烦地)如果她有奶，就说明她怀过孕！

主审人：当然！

打字员：谁？

主审人：(很兴奋地)您是说……

打字员：我在想会是谁呢。

停顿。

主审人：请把那段再念一遍好吗，小姐？

打字员：(重新念道)"你打开肚子——"

主审人：(惊喜地)以你相称！对不起，小姐。

打字员：(重新念道)"莫德对我说，你打开肚子，敞开你的肚皮——"

主审人：别省略，小姐，求求您，一字别漏，念全文。

打字员：我没省略，先生。(稍顿)我省略什么了，先生？

主审人：（庄重地）"在两次做爱之间"，（嘲弄地）就这句！（生气地）如果您把这么重要的精彩细节都省略掉，那我们还怎么结案？

打字员： 可是，先生，他从没说过类似的话。

主审人：（生气地）"——莫德对我说，在两次做爱之间，等等。"照我说的记。

打字员： 可是，先生，我——

主审人： 您想干什么，小姐？嘲笑我的耳朵？还是我的记忆？我的诚实？（雷声般地）照我说的记！

打字员：（勉强地）好吧，先生。

主审人： 现在看看通不通。

打字员：（犹豫不决地）"你打开肚子，莫德对我说，在两次做爱之间，人们敞开你的肚皮，不要紧的，如果他还活着，我会喂他奶，啊，这可不行，不行。（铅笔轻敲桌子声。勉强能听见）这可不行。"

安静片刻。

主审人： 别哭了，小姐。擦干您美丽的眼睛，冲我笑笑。明天，说不定我们就解脱了。

（20世纪60年代？）

广播剧草稿

谢　强　袁晓光　译

他:（伤感的声音）夫人。

她: 您好啊?（稍顿）您让我到这儿来。

他: 我没叫任何人到这儿来。

她: 我来,您就这么痛苦。

他: 我欠您的。

停顿。

她: 我是来做听客的。

他: 随您便。

停顿。

她: 这玩意儿一直响吗?

他: 是的。

她: 不停?

他: 不停。

她: 真不可思议。（稍顿）这玩意儿一直说话?

他: 一直。

她: 没停过?

他：没有。

她：简直无法想象。(稍顿) 您也一直在听?

他：一直在听。

停顿。

她：您看上去忧心忡忡。(稍顿)能看看它们吗?

他：不行,夫人。

她：我不能去看看它们吗?

他：不行,夫人。

停顿。

她：您真不近人情。(稍顿) 是这两个钮吗?

他：是的。

她：按下去就行吗?(稍顿)是直播吗?(稍顿)请问您是直播吗?

他：(厌烦地)当然,夫人。(稍顿)别按,要转动。(稍顿)向右拧。

咔嗒咔嗒声。

音乐……

安静。

她：(惊奇地)可不,好多台呢!

他：是的。

她：几个?

他：五个……六个……(稍顿)向右拧,

夫人,向右。

  咔嗒咔嗒声。

  说话声……

  她:(伴着说话声)能大点声吗?

  说话声(声音大了些)……

  安静。

  她:(惊奇地)怎么是一个人!

  他:是的。

  她:只有一个?

  他:一个人,就只有一个人。

  停顿。

  她:让这些台一起播是什么样?

  停顿。

  他:向右,夫人。

  咔嗒咔嗒声。

  音乐(短促,而后)

  说话声和音乐混杂在一起……

  安静。

  她:它们不在一起吗?

  他:没有。

  她:它们合不来吗?

  他:是的。

  她:就像刚才这样!

  停顿。

  他:向右,夫人。

咔嗒咔嗒声。

说话声……

她：(伴着说话声)小点声。

说话声(声音低了下来)……

安静。

她：您喜欢这玩意儿？

停顿。

他：没它不行。

她：真的不行？就这玩意儿？

他：它已经变成一种需要了。(稍顿)向右，夫人。

咔嗒咔嗒声。

音乐……

她：(伴着音乐声)大点声。

音乐(声音大了些)……

安静。

她：音乐也是吗？ （稍顿） 您也需要音乐？

他：它已变成一种需要了，夫人。

停顿。

她：您需要它们的程度一样？

停顿。

他：我不明白。

她：它们是不是……享受……同等待遇？

他：是的，夫人。

她: 比方说?(稍顿)举个例子?

他: 这很难描述,夫人。

停顿。

她: 很好,谢谢。

他: 对不起,请这边走。

停顿。

她:(略远处)是欧布森人吗?

他:(同上)不是,夫人。对不起。

她:(更远处)您看上去心神不定。(稍顿)好,我告辞了。(稍顿)找您的需要去吧。

他:(同上)再见,夫人。(稍顿)向右,夫人,这个是垃圾——(加重语气)——生活垃圾。(稍顿)再见,夫人。

长时间停顿。猛拉窗帘的声音,窗帘环在金属杆上的滑动声,响了两次。稍停。摘下电话听筒的声音,能听到里边轻微的铃响——和平常一样。没有其他任何声音。稍停。

小姐……医生在吗?……啊……是的……请让他给我回电话……玛吉利库蒂……玛吉利——库蒂……对了……他知道……(提高嗓门)……小姐!……小姐!……啊!……是急事……是的……(尖声地)是急事!稍停。挂上听筒的声音,能听到轻微的铃响。稍停。咔嗒咔嗒声。

音乐……

他：(伴着音乐声)糟糕!

安静。稍停。咔嗒咔嗒声。

说话声……

他：(伴着说话声,尖声地)快点!快点!

说话声……

安静。

他：(低声地)我该怎么办?(稍停。摘下电话听筒的声音,能听到轻微的铃响。稍停)小姐……玛吉利库蒂……玛——吉利——库蒂……对了……很抱歉,可是……啊……是的……当然啦……找不到他……不知道……我明白……是的……马上……他一回来就……什么……(尖声地)当然!我告诉过你!非常急!非常急!(稍顿。低声地)浑蛋!

用力挂上听筒的声音,能听到轻微的铃响。稍停。咔嗒咔嗒声。

音乐(短促地)……

安静。咔嗒咔嗒声。

说话声(短促地)……

他：(伴着说话声,尖声地)怎么搞的!老是这一套!

说话声和音乐(混在一起)……

电话铃响。铃声刚响就摘下听筒的声音。

他：(伴着说话声和音乐)是的……请等一下……(说话声和音乐停止。烦躁地)是的……是的……好的,还好……怎么啦……它们停下了……停下了……今天早上……啊不……不是那么回事,我说他们停下了……我知道这是没办法的事……啊不,是我……我……什么?……我不是跟你说他们停下了吗……我不能光守着这玩意儿吧,以后……什么?……谁?……可她已经离开我了……妈的……当然啦,所有人都离开我了,你不知道吗?你不知道?……当然啦,我敢肯定……什么?一小时后?……不能提前?……让我等着?……(声音略低)……有这玩意儿他们可以在一起……(用力地)……在一起……是的……我不知道,就像……(犹豫地)……那好吧,呼吸,我不知道……(激动地)……啊不,啊不,决不!……让他们在一起?……他们怎么能在一起?……什么?……像什么……急喘声?……喂!……你没事吧!……喂!……(重重的挂机声,能听到轻微的铃响。低声地)浑蛋!

稍停。咔嗒咔嗒声。

音乐(*渐弱*)……

紧接着

说话声和音乐混在一起,渐弱……

电话铃声,摘下听筒的声音,动作较刚才慢一些。

他:(伴着音乐和说话声,干巴巴地)小姐……(长时间停顿)……一个生孩子的……(长时间停顿)……两个生孩子的……(长时间停顿)……一个什么?……什么?……屁股先出来的……什么?(长时间停顿)……明天中午……

　　停顿。轻轻挂上听筒的声音,能听到轻微的铃响。

　　说话声和音乐混在一起,渐静,安静中混声又起,逐渐减弱。

　　安静。

　　他:(出了口气)明天……中午。

(20世纪60年代?)

收 场

曾晓阳 译

献给瓦茨拉夫·哈维尔

导演(M)
助手(A)
主角(P)
吕克,舞台外的灯光师(L)

排演。人们最后一次排演最后一幕。空的舞台。A和L刚刚调好灯光。M刚到。

M——坐在靠舞台右侧的前台的一张扶手椅中。毛皮大衣。相配的窄边软帽。年龄和面貌不论。

A——站在他的旁边。白色罩衫。光着头。耳朵上夹着铅笔。年龄和面貌不论。

P——站在舞台中央的一个高四十厘米的黑色立方体上。宽边黑帽。黑色齐踝睡袍。赤着脚。低着头。双手插在口袋里。年龄和面貌不论。

M和A凝视着P。一段漫长的时间。

A：(终于)你喜欢他吗?
M：就一半。(略停)为什么这个小台座?
A：为了让前排正面的观众看到脚。

略停。

M：为什么这顶帽子?
A：为了更好地遮住脸。

略停。

M：为什么这件睡袍?
A：为了让一切都是黑色的。

略停。

M：他底下穿着什么?(A朝P走去)说吧。

A停下。

A：睡衣。
M：颜色?
A：烟灰色。

M拿出一支雪茄。

M：火。(A走回来，给他点火，站着不动。M抽烟)他的脑袋是什么样的？
A：你看过。
M：我忘了。(A朝P走去)说吧。

A停下。

A：秃的。几绺头发。
M：颜色？
A：烟灰色。

略停。

M：手为什么插在口袋里？
A：为了更好地让一切都是黑色的。
M：不应该。
A：我记下。(她拿出一本笔记本，取下铅笔，记着)手露在外面。

她装好笔记本，重新夹上铅笔。

M：它们是什么样的？(A不明白。生气)手，它们是什么样的？
A：你看过的。
M：我忘了。

A：杜比唐症状。

M：什么?

A：杜——比——唐症状。

M：啊,杜比唐症状。(略停)指甲长吗?(略停。生气)我问你指甲长不长?

A：如果我们想这样的话。

M：两只长指甲。

A：那他不能握拳了。

M：不握。

A：我记下。(她拿出笔记本,取下铅笔,记着)手松开。她装好笔记本,夹上铅笔。

M：火。(A走回来,给他点火,站着不动。M抽烟)我们全都看一看。(A不明白。M生气)去。脱掉他的衣服。(他查了查秒表)动作快点,我还有个会。

A朝P走去,脱掉睡袍。P任由摆布,毫无生气。A退后,睡袍搭在胳膊上。P穿着灰色的旧睡衣,头低着,握着拳。他们凝视着P。

A：你喜欢他不穿睡袍?(略停)
他在发抖。

M：不怎么抖。帽子。

A走上前,取下帽子,退后,帽子拿在手里。略停。

A:你喜欢这样的头顶?
M:要化白点。
A:我记下。(她扔下睡袍和帽子,拿出笔记本,取下铅笔,记着)化白脑袋。

她装好笔记本,夹上铅笔。

M:手。(A不明白。M生气)张开。去。(A走上前,松开P的拳头,退后)化白。
A:我记下。(她拿出笔记本,取下铅笔,记着)化白手。

她装好笔记本,夹上铅笔。他们凝视着P。

M:有什么不对头的?(焦虑)哎,有什么不对头的?
A:(胆怯地)如果我们让它们……如果我们让它们……合拢?
M:我们现在这个样子……(A走上前,把双手合拢,退后)高点。(A走上前,把P合拢的双手抬高到半身处,退后)高点。(A走上前,把P合拢的双手抬高到胸口处)停!(A 退后)好一些。这就是我想要的。火。

> A 走回来,给他点火,站着不动。M 抽烟。他们凝视着 P。

A:他在发抖。
M:抖得正是时候。

> 略停。

A:(胆怯地)也许一个小的……一个小的……塞口物?
M:(愤怒地)什么主意!解释狂!小塞口物!解释那么多更不明白!小塞口物!什么主意!
A:肯定他什么都不说?
M:什么都不。一声不吭。(他查了查秒表)时间正好。我去从观众座上看。

> 他下场。我们再也不会看到他了。A 倒在扶手椅上,突然站起来,掏出一块抹布,用力擦椅座和椅背,扔掉抹布,重新坐下。略停。

M:(画外音,悲伤地)我看不到脚趾。(生气)我坐在第一排但我看不到脚趾。
A:(站起来)我记下。(她拿出笔记本,取下铅笔,写着)加高台座。

她装好笔记本,夹上铅笔。

M:(同样口吻)面孔要隐约可见。
A:我记下。

她拿出笔记本,取下铅笔,想记。

M:低下头。(A不明白。M生气)去。把他的头压低。(A装好笔记本,夹上铅笔,向P走去,把P的头压得更低,退后)再低点。(A走上前,把他的头压得更低)停!(A退后)好极了。(略停)缺少赤裸的部位。
A:我记下。

她拿出笔记本,想取下铅笔。

M:哎,去,去!(A装好笔记本,向P走去,停下,犹豫不决)露出胸和肩。(A解开P衣服上端的扣子,分开衣角,退后)腿。

胫骨。(A 走上前,把 P 一只裤脚向上卷高,超过腿肚,退后)另一只。(A 在另一只腿上做同样的动作。A 退后)高点。髌骨。(A 走上前,把两只裤腿向上卷高,超过膝盖,退后)化白。

A:我记下。(她拿出笔记本,取下铅笔,记着)化白肌肉。

她装好笔记本,夹上铅笔。

M:这就是我想要的。吕克在吗?
A:(喊)吕克!(略停。更大声)吕克!
L:(画外音,远远地)我来了。(略停。近了一些)还有什么不对的吗?
A:(对着 M)吕克来了。
M:让他负责光线。(A 用技术词语传达命令。光线慢慢暗下来。只有 P 被照亮。A 在阴影处)只照亮头。(A 用技术词语传达命令。P 的身体慢慢隐入黑暗中,只有头被照亮。漫长的停顿)真美。

略停。

A:(胆怯地)他能不能……抬起头……一阵子……让人看见脸……就一阵子!

M：(愤怒地)什么主意！你配听这样的话！抬起头！你以为我们在哪儿？在巴塔哥尼亚？抬起头！什么主意！(略停)好了。这就是我们的结局。再做一次，我就走了。

A：(对吕克)再做一次，他就走了。

灯光重新慢慢回到 P 的身体上，稳定下来。一段时光。灯光重新慢慢亮起。

M：停！(灯光稳定下来。略停)唔……好！(灯光慢慢暗下来。略停。P 的身体慢慢隐入黑暗中。只有头被照亮。长久的停顿)太好了！他肯定大受好评。我从这儿就能听到。

略停。远处雷鸣般的掌声。P 重新抬起头，直视观众席。掌声减弱，停了。寂静。

长久的停顿。

头慢慢地隐入黑暗中。

什么哪里

曾晓阳　译

巴姆
奔姆
比姆
勃姆
巴姆的声音(V)

表演区：3m×2m 的长方形，隐约照亮，四周阴暗，从观众席上看偏向右边。V 的位置在前台左边，隐约被照亮，四周阴暗。

各个人物尽可能相像。
同样的灰色长袍。
同样的灰色长头发。
V 是一个一人高的小扩音器。

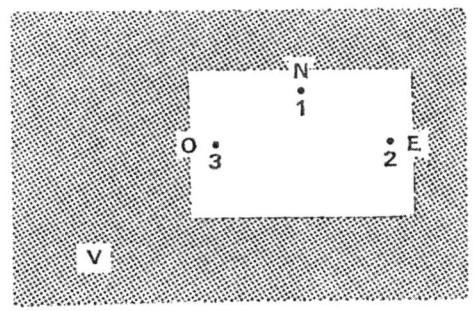

黑暗。
V 亮起来。

V： 我们只有五个。
现在如同过去一般。
春天来了。
时光流逝。
首先无声。
我开灯。

表演区亮起来。
巴姆在 3 处昂着头,勃姆在 1 处低着头。
略停。

V： 不好。
　　 我关灯。

　　 表演区暗下来。

V： 我重新开始。
　　 我们只有五个。
　　 春天来了。
　　 时光流逝。
　　 首先无声。
　　 我开灯。

　　 表演区亮起来。
　　 巴姆独自一人在3处昂着头。
　　 略停。

V： 好一些。
　　 我独自一人。
　　 春天来了。
　　 时光流逝。
　　 首先无声。
　　 终于勃姆出现了。
　　 重新出现了。

　　 勃姆从N处上场，在1处停下低着头。

  略停。
  比姆从 E 处上场，在 2 处停下昂着头。
  略停。
  比姆从 E 处下场，勃姆尾随其后。
  略停。
  比姆从 E 处上场，在 2 处停下低着头。
  奔姆从 N 处上场，在 1 处停下昂着头。
  略停。
  奔姆从 N 处下场，比姆尾随其后。
  略停。
  奔姆从 N 处上场，在 1 处停下低着头。
  略停。
  巴姆从 O 处下场，奔姆尾随其后。
  略停。
  巴姆从 O 处上场，在 3 处停下低着头。
  略停。

V： 好。
  我熄灯。

  表演区暗下来。

V： 我重新开始。
  我们只有五个。
  现在如同过去一般。

春天来了。
时光流逝。
这次有声。
我点灯。

表演区亮起来。
巴姆独自一人在 3 处昂着头。
略停。

V： 好。
我独自一人。
春天来了。
时光流逝。
这次有声。
终于勃姆出现了。
重新出现了。

勃姆从 N 处上场，在 1 处停下低着头。

巴姆：怎么样？
勃姆：(一直低着头)一无所获。
巴姆：他什么都没说？
勃姆：什么都没。
巴姆：你使劲拷问过他了？
勃姆：是的。

巴姆：而他什么都没说？
勃姆：什么都没。
巴姆：他哭了吗？
勃姆：哭了。
巴姆：喊了吗？
勃姆：喊了。
巴姆：求饶了吗？
勃姆：求饶了。
巴姆：但什么都没说？
勃姆：什么都没。
V ：　不好。
　　　我重新开始。
巴姆：怎么样？
勃姆：一无所获。
巴姆：他没有说？
V ：　好一些。
勃姆：没有。
巴姆：你使劲拷问过他了？
勃姆：是的。
巴姆：而他没有说？
勃姆：没有。
巴姆：他哭了吗？
勃姆：哭了。
巴姆：喊了吗？
勃姆：喊了。

巴姆：求饶了吗？
勃姆：求饶了。
巴姆：可他没有说？
勃姆：没有。
巴姆：那为什么停下？
勃姆：他没有反应了。
巴姆：而你没有让他苏醒过来？
勃姆：我试过。
巴姆：那结果呢？
勃姆：我没能做到。

略停。

巴姆：你撒谎。(略停)他告诉你了。(略停)承认他告诉你了。(略停)我们要拷问你直到你承认为止。
V ：好。
终于比姆出现了。

比姆从 E 处上场，在 2 处停下昂着头。

巴姆：(对比姆)你有空？
比姆：有。
巴姆：带走他，拷问他直到他承认为止。
比姆：他得承认什么？

巴姆：承认他告诉他了。
比姆：完了？
巴姆：是的。
V：　不好。
　　　我重新开始。
巴姆：带走他，拷问他直到他承认为止。
比姆：他得承认什么？
巴姆：承认他告诉他了。
比姆：完了？
巴姆：还有告诉什么了。
V：　好一些。
比姆：完了？
巴姆：是的。
比姆：然后我就停下？
巴姆：是的。
比姆：好。(对勃姆)过来。

比姆从 E 处下场，勃姆尾随其后。

V：　好。
　　　我独自一人。
　　　夏天来了。
　　　时光流逝。
　　　终于比姆出现了。
　　　重新出现了。

比姆从 E 处上场，在 2 处停下低着头。

巴姆：怎么样？
比姆：(一直低着头)一无所获。
巴姆：他没有说？
比姆：没有。
巴姆：你使劲拷问过他了？
比姆：是的。
巴姆：而他没有说？
比姆：没有。
V ：　不好。
　　　我重新开始。
巴姆：怎么样？
比姆：一无所获。
巴姆：他没有说哪里？
V ：　好一些。
比姆：哪里？
V ：　啊！
巴姆：哪里。
比姆：没有。
巴姆：你使劲拷问过他了？
比姆：是的。
巴姆：而他没有说哪里？
比姆：没有。

巴姆：他哭了吗？
比姆：哭了。
巴姆：喊了吗？
比姆：喊了。
巴姆：求饶了吗？
比姆：求饶了。
巴姆：可他没有说哪里？
比姆：没有。
巴姆：那为什么停下来？
比姆：他没有反应了。
巴姆：而你没有让他苏醒过来？
比姆：我试过了。
巴姆：那结果呢？
比姆：我没能做到。

略停。

巴姆：你撒谎。（略停）他告诉你哪里了。（略停）承认他告诉你哪里了。（略停）我们要拷问你直到你承认为止。
V ：好。
终于奔姆出现了。

奔姆从 N 处上场，在 1 处停下昂着头。

巴姆：（对奔姆）你有空？
奔姆：有。
巴姆：带走他，拷问他直到他承认为止。
奔姆：他得承认什么？
巴姆：承认他告诉他哪里了。
奔姆：完了？
巴姆：是的。
V ：　不好。
　　　我重新开始。
巴姆：带走他，拷问他直到他承认为止。
奔姆：他得承认什么？
巴姆：承认他告诉他哪里了。
奔姆：完了？
巴姆：还有哪里。
V ：　好一些。
奔姆：完了？
巴姆：是的。
奔姆：然后我停下？
巴姆：是的。
奔姆：好。（对比姆）过来。

　　　奔姆从 N 下场，比姆尾随其后。

V ：　好。
　　　我独自一人。

秋天到了。
时光流逝。
终于奔姆出现了。
重新出现了。

奔姆从 N 处上场,在 1 处停下低着头。

巴姆：怎么样？
奔姆：(头一直低着)一无所获。
巴姆：他没有说哪里？
奔姆：没有。
V ：　依此类推。
巴姆：你撒谎。(略停)他告诉你哪里了。(略停)承认他告诉你哪里了。(略停)我们要拷问你直到你承认为止。
奔姆：我得承认什么？
巴姆：承认他告诉你哪里了。
奔姆：完了？
巴姆：还有哪里。
奔姆：完了？
巴姆：是的。
奔姆：接着我们就停下？
巴姆：是的。过来。

巴姆从 O 下场,奔姆尾随其后。

V： 好。
　　　冬天到了。
　　　时光流逝。
　　　最后我出现了。
　　　重新出现了。

　　　巴姆从 O 处上场，在 3 处停下低着头。

V： 好。
　　　我独自一人
　　　现在如同过去一般。
　　　冬天到了。
　　　没有旅行。
　　　时光流逝。
　　　完了。
　　　明者自明。
　　　我熄灯。

　　　表演区暗下来。
　　　略停。
　　　V 暗下来。

图书在版编目（CIP）数据

贝克特作品选集.7，戏剧集/（爱尔兰）贝克特
(Beckett，S.)著；赵家鹤等译.—长沙：湖南文艺出版社，2013.12（2025.6重印）
ISBN 978-7-5404-6467-7

Ⅰ.①贝… Ⅱ.①贝…②赵… Ⅲ.①文学-作品综合集-爱尔兰-现代②戏剧文学-剧本-作品集-爱尔兰-现代 Ⅳ.①I562.15

中国版本图书馆CIP数据核字（2013）第261986号
著作权合同登记号：图字18-2013-200

贝克特作品选集7
BEIKETE ZUOPIN XUANJI 7
戏剧集
XIJU JI

著　　者：	[爱尔兰]萨缪尔·贝克特
译　　者：	赵家鹤　谢　强　袁晓光　曾晓阳
出版人：	陈新文　　　　　　监　制：谭菁菁
责任编辑：	冯　博　李　颖　　责任校对：艾　宁
特约编辑：	陈美洁　黎添禹　　装帧设计：CANTONBON
出版发行：	湖南文艺出版社
印　　刷：	长沙超峰印刷有限公司
经　　销：	新华书店
开　　本：	787 mm×1092 mm　1/32
印　　张：	6.25
字　　数：	100千字
版　　次：	2013年12月第1版
印　　次：	2025年6月第2次印刷
书　　号：	ISBN 978-7-5404-6467-7
定　　价：	39.00元